Zsigmond REMENYIK
El lamparero alucinado

Edición de László Scholz

COLECCIÓN EL FUEGO NUEVO.
TEXTOS RECOBRADOS N.º 5

El lamparero alucinado

Obras en español de
Zsigmond REMENYIK

Edición de László SCHOLZ

IBEROAMERICANA – VERVUERT – 2009

Bibliographic information published by Die Deutsche
Nationalbibliothek. Die Deutsche Nationalbibliothek lists this
publication in the Deutsche Nationalbibliografie; detailed bibliographic
data are available on the Internet at http://dnb.ddb.de

© Iberoamericana, 2009
  Amor de Dios, 1 – E-28014 Madrid
  Tel. +34 91 429 35 22
  Fax + 34 91 429 53 97

© Vervuert Verlag, 2009
  Elisabethenstr. 3-9 - D-60594 Frankfurt am Main
  Tel. +49 69 597 46 17
  Fax + 49 69 597 87 43
  info@iberoamericanalibros.com
  www.ibero-americana.net

ISBN (Iberoamericana) 978-84-8489-442-1
ISBN (Vervuert) 978-3-86527-476-2

Ilustración de cubierta de Jesús Carlos Toro para *La tentación de los asesinos!*
Todas las ilustraciones incluidas en este libro han sido amablemente cedidas por
la Biblioteca Nacional Széchényi de Budapest.
Diseño de la cubierta: Juan Carlos García Cabrera

The paper on which this book printed
meets the requirements of ISO 9706

Printed in Spain
Depósito legal M-18586-2009

Índice

Como una novela

Juan Manuel Bonet

Como una novela, la errancia latinoamericana, entre 1920 y 1926, del húngaro Zsigmond Remenyik (1900-1962), errancia que me fascinó desde que me topé con el nombre del escritor en un artículo de 1968 del siempre recordado Saúl Yurkievich en torno al manifiesto "Rosa Náutica" de la revista-cartel *Antena*, de Valparaíso. Redactado por una serie de creadores del Puerto –o llegados allá por azares de la vida, como fue el caso del propio Remenyik–, al manifiesto se adhirieron Joaquín Edwards Bello –que había firmado "Jacques Edwards, chargé d'affaires Dada au Chili" su poemario *Metamorfosis* (1921)– y, desde lejos, Vicente Huidobro –uno de los tres únicos nombres citados en positivo en el propio texto, siendo los otros dos Apollinaire y Marinetti–, el mexicano y estridentista Manuel Maples Arce, y nuestro Guillermo de Torre…

Como una novela, esa revista-cartel, *Antena*, de 1922, después de las dos del año anterior, la borgiana *Prisma*, de Buenos Aires, y *Actual*, de Maples, en Ciudad de México: una red poética sobre las paredes latinoamericanas, de Norte a Sur.

Como una novela, la prehistoria de Remenyik: Lajos Kassák y *Ma*, la fracasada revolución soviética de Budapest, el primer exilio vienés, la marcha al Nuevo Mundo, *Pernambuco*, Montevideo, Buenos Aires, la Patagonia, las Malvinas, Paraguay, Bolivia…

Como una novela, el cenáculo de Valparaíso, *Antena*, "Rosa Náutica", la reproducción ahí de la xilografía *Aktivizmus* de Sándor Bortnyik, la tienda de música La Scala de Milano, la editorial Tour Eiffel –un guiño huidobriano– y *La tentación de los asesinos: Epopeya*, y el variopinto rosario de los firmantes de "Rosa Náutica", el estupendo Neftalí Agrella, Martin Bunster, Fernando García Oldini –que se casaría con la pintora Sara Malvar, amiga y colaboradora de Huidobro–, Jacobo Nazaré, Salvador Reyes –el autor de *Barco ebrio* (1923) y de tantos relatos del mar–, el ubicuo Alberto Rojas Giménez –que en 1934 sería objeto de una gran elegía nerudiana–, el interesante pintor mexicano Carlos Toro Vega o Jesús Carlos Toro –del que conocemos otros buenos grabados en *Elipse*, en *Rodó*, y en la página literaria del diario santiaguino *La Nación*–, Julio Walton, y aquellos sobre los cuales apenas nada sabemos, y sobre los cuales nos gustaría saber más, ese "Pablo Christi" que huele a seudónimo, ese Marko Smirnoff que también, y otros varios más que sólo han quedado en los anales por la presencia de sus nombres al pie del manifiesto, y en algunos casos porque además colaboraron, en 1922, en el único número de la mencionada *Elipse*…

Como una novela, los años limeños de Remenyik, la editorial Agitación, *Las tres tragedias del lamparero alucinado* y su extraordinaria cubierta…

Como una novela, en 1926 el retorno a Budapest, al año siguiente la revista *Új Föld*, con Bortnyik nuevamente, y en ella una semblanza de Guillermo de Torre, con la cual Remenyik iniciaba una serie que quedaría inconclusa, sobre figuras de la vanguardia en lengua española. Y *Los juicios del Dios Agrella*, la ficcionalización de la vanguardia en el Puerto, de sus consignas ("¡Revolución y burdeles!") y de su figura central, ficcionalización a tantos miles de kilómetros, de vuelta a casa, pero todavía en la lengua adoptiva…

Como una novela, esta singular historia de vasos comunicantes o de "cables submarinos" –por emplear el lenguaje de "Rosa Náutica"– entre dos literaturas en dos extremos del mundo, *Mitteleuropa* y la América austral, la "Laponia espiritual" –"Rosa Náutica", de nuevo–, esta historia tan bien contada aquí por mi amigo László Scholz, gran conocedor y reconstructor de los mil y un recovecos de las vanguardias chilenas, peruanas, latinoamericanas, gracias a cuyos desvelos al fin vamos a poder leer la obra en castellano de su compatriota…

Prólogo

László Scholz

La historia de las vanguardias literarias no carece de fenómenos curiosos en ninguna región, pero hay casos en los que no sólo se dan cita improbables casualidades, sino que se construye un puente entre ámbitos que, ni antes ni después, mostraban disposición de relacionarse. Éste es el caso de la obra que publicamos, obra, sin duda, rara, desigual y en más de un sentido irregular de los años veinte, que fue escrita por un autor centroeuropeo que conectó mediante una tentativa individual algunos centros de las vanguardias chilenas y peruanas con los focos activistas de Viena y Budapest. El fenómeno en sí, creemos, es ilustrativo de la escala de la apertura internacional que se produjo en la década de los veinte y, también, del radio geográfico y temporal de su influencia posterior.

Zsigmond Remenyik (1900-1962), conocido autor húngaro de la primera mitad del siglo XX con más de treinta obras narrativas y dramáticas publicadas, fue una figura, sin duda, contradictoria y controvertida no sólo por ese carácter rebelde que no le dejó aliarse con ninguna de las capillas literarias, sino también por los cambios históricos (dos guerras mundiales y dos regímenes totalitarios) que le tocó vivir con o sin compromisos en las tierras harto tempestuosas de la Europa central. Remenyik nadó, sin duda, contra corriente durante toda su vida. Nació en una familia terrateniente perteneciente a la pequeña nobleza que en aquel entonces tenía más créditos por pagar que propiedades que gozar. Las rechazó desde muy joven optando por ideas izquierdistas, a veces anarquistas, así como también abandonó muy pronto los estudios y se volcó en la literatura. Como ya lo indica su diario de la escuela secundaria, buscó febrilmente sus afinidades, y muy pronto estableció contactos con los grupos que iban contra el *establishment* literario, más que nada con la figura clave de los vanguardismos, Lajos Kassák y sus revistas *A Tett* [*La Acción*] y *MA* [*Hoy*]. Éstas iniciaron a Remenyik en el activismo literario, a la vez que lo llevaron más allá de la esfera estética: durante los meses de la República de los Consejos (1919), practicó el activismo político, entre otras, propagando un panfleto intitulado *Agitáció* [*Agitación*] entre los estudiantes de su antigua escuela provincial. Con la caída de la llamada *Räterepublik*, todo el grupo tuvo que exiliarse: Kassák se estableció en Viena llevando consigo la revista *MA*, otros optaron por caminos distintos en Alemania o Francia. Tampoco Remenyik tenía otra opción que salir del país; en agosto de 1920 se fue primero a Viena para verse con Kassák y para dar y recibir materiales para sus futuras publicaciones, pero no para quedarse: no estaba dispuesto a contraer otros compromisos, se propuso dejar atrás no sólo su patria, sino también Europa, no sólo la política, sino también la literatura.

Allí comenzó la aventura latinoamericana de Remenyik que duró casi siete años con un tortuoso peregrinaje por el continente. Desembarcó en Pernambuco, de allí pasó a Montevideo, Buenos Aires, para recorrer luego Bolivia, Paraguay, amplias zonas de la Argentina, llegó a Las Malvinas, trabajó de recadero, cargador y vendedor ambulante, se alojó en bodegones y burdeles, se ganó la vida tocando el piano en bares o limpiando pescado. ¿Por qué dirigió su rumbo a América Latina? Si bien la palabra *Argentina* había aparecido ya en su diario de adolescente,[1] no parece probable que tuviera una decisión plenamente consciente. De hecho, en su novela autobiográfica *Vész és kaland* [*Peligro y aventura*] describe que su estado anímico se caracterizaba por «un núcleo, una neblina que se disolvía lentamente, una inclinación y amenaza poco definible»,[2] apuntados hacia la aventura que propagó constantemente con tanto orgullo que sus conocidos solían preguntarle en la calle con no poco sarcasmo: «¿Y tú sigues todavía aquí?» o «¿Cuándo te vas ya al África o a Australia?».[3] Tendrá razón Sándor E. Nagy[4] cuando dice que mientras

---

1 József Tasi: «A szabadság álma? Simon Andor élete és költői pályája» [«¿El sueño de la libertad? Vida y carrera poética de Andor Simon»], en *Új forrás* (http://www.jamk.hu/ujforras/9909_20.htm).

2 Zsigmond Remenyik: *Vész és kaland*, Budapest: Magvető, 1974, p. 25.

3 Op. cit., p. 26.

4 Sándor E. Nagy: «A dél-amerikai élmények Remenyik Zsigmond regényeiben» [«Las vivencias sudamericanas en las novelas de Zsigmond Remenyik»], en Zsigmond Remenyik: *A képzelgő lámpagyújtogató. Fordítások Remenyik Zsigmond spanyol nyelvű műveiből* [*El lamparero alucinado. Traducciones de las obras en español de Zsigmond Remenyik*], Budapest: Magvető, 1979.

los demás vanguardistas húngaros renunciaron, al salir del país, al carácter mesiánico y la índole social del activismo, Remenyik optó por exiliarse en la vida con mayúsculas. El mismo Remenyik admitió más tarde[5] la falta de un plan fijo:

En aquel entonces, a saber en 1920 tomé rumbo a América Latina, joven y sin ninguna responsabilidad. Casi no tenía nada que perder, por falta de considerables bienes terrenales arriesgué entonces sólo mi juventud, mi fuerza, mi entusiasmo, casi digo, mi cuerpo, y, además, lo hice de buena gana y tal vez con la única idea secreta que si me pierdo, esto sólo probará que no soy apto para la vida (entonces todavía creía yo en el heroísmo, y leía con entusiasmo juvenil a Darwin, Lamarck y los materialistas). Y naturalmente pensé a la vez que sólo el fuerte y el valiente tienen derecho a la vida...

Esta forma de inmersión o sumergimiento en la realidad latinoamericana, sin embargo, no condujo a la esperada metamorfosis vital: como el propio autor lo dice: «Afortunada o desafortunadamente, carecía yo de la mentalidad de los pioneros, la determinación y la perseverancia que suelen atar al hombre a cierto punto de cierta zona de cierto continente, si es necesario, para toda la vida...».[6] A fines de 1921, ya lo encontramos en Valparaíso donde llegó a conocer las barriadas de las colinas y del puerto, pero donde volvió de la vida a la literatura: muy pronto se adhirió a un grupo de jóvenes escritores, pintores, músicos que tenía como líder a Neftalí Agrella, poeta vagabundo, de ciertas ideas anarquistas, fundador de varias revistas (*Númen, Siembra, Elipse, Nguillatún*), traductor de Apollinaire y envidiado protagonista de un legendario encuentro con Marinetti en Nueva York.[7] Agrella ejerció una influencia duradera en Remenyik[8] hasta tal punto que llegó a ser en 1929 el protagonista de su única novela en español. El grupo era marcadamente internacional incluidos Marko Smirnoff, propagandista ruso, Jesús Carlos Toro, pintor mexicano, y otro probablemente chileno, Brumario, y un poeta de cierto renombre, Julio Walton Hesse, dueño más tarde de una librería y casa editorial en Santiago,

5 Zsigmond Remenyik: *Amerikai ballada,* Budapest: Magvető, 1986, p. 7.
6 Op. cit., p. 8.
7 Ver mi artículo «Julio Walton H.: El aullido de las rameras. Un texto inédito del grupo Rosa Náutica», en *Hispamérica,* 60, 1992, pp. 73-84 y el prólogo de Walton en un libro de Agrella («Apuntes para una biografía de Neftalí Agrella» en Neftalí Agrella: *El alfarero indio,* pp. I-V, Santiago de Chile: Arauco, 1933).
8 «Önéletrajz» [«Autobiografía»], del 15 de febrero de 1933, texto inédito; ver entre los manuscritos de Remenyik, en FOND 109/4.

posteriormente editor de varios textos de Huidobro y autor de un largo poema encontrado entre los manuscritos de Remenyik: «El aullido de las rameras»,[9] dedicado al escritor húngaro («Para que Segismundo Remenyik se acuerde que en Chile hay dos hombres: Agrella y yo»). Según nos describe Remenyik en *Az idegen* [*El forastero*], novela autobiográfica escrita más tarde en húngaro, el grupo vanguardista de Valparaíso pasaba las mañanas en una tienda de música (La Scala de Milano) discutiendo «a fondo las distintas maneras de salvar la humanidad y de cambiar los fundamentos de este mísero mundo».[10] Por la tarde, Remenyik trabajaba, a trueque de comida, en bodegones pelando patatas, limpiando pescado o despachaba encargos para un carnicero, de apellido Cortez que miraba con simpatía y ayudaba al grupo, o aprovechaba, sin trabajar, el tiempo para otras discusiones sobre el arte nuevo (Apollinaire, Picasso, Stravinsky) disfrutando de la hospitalidad y de la comida de un joven francés llamado Rogier, que tenía su almacén de frutas al lado de la tienda de música.[11]

Remenyik se integró en el grupo aparentemente sin dificultad, cambió su nombre a Segismundo (lo apodaban *Sergié*), y —lo más importante— también cambió de idioma y participó en castellano con la vehemencia de siempre en las actividades literarias del grupo de Valparaíso. Primero firmó el manifiesto de la *Rosa Náutica*[12] en compañía de sus amigos recién conocidos, con adhesiones como la de Vicente Huidobro, Jacques Edwards, Jorge Luis Borges. El cartel fue publicado como el primer número de la revista *Antena* con una orientación futurista-creacionista con bastante influencia francesa; el título mismo alude a una imagen de Huidobro («JE SUIS LA ROSE DES VENTS QUI SE FANE TÒUS LES AUTUMNES/ ET TOUTE PLEINE DE NEIGE»)[13] del poema «Tour Eiffel» el cual, seguramente, hace eco de *Les Mariés de la Tour Eiffel* escrito en el mismo año por Jean Cocteau. Es difícil saber hasta qué punto participó Remenyik en la redacción de este texto cosmopolita y ecléctico,[14] pero no cabe duda de que hizo un aporte sustancial al entregar un grabado

9   Ver el texto publicado en *Hispamérica*, op. cit.
10 Zsigmond Remenyik: *Az idegen*, Budapest: Magvető, 1963, p. 158.
11 *Vész és kaland*, op. cit., pp. 144-145.
12 Véase el ensayo de Saúl Yurkievich: "Rosa Náutica, un manifiesto del movimiento de vanguardia chileno", en *Bulletin de la Faculté des Lettres de Strasbourg*, n.º 46, abril, 196, pp. 649-655.
13 Véase Vicente Huidobro: *Obras completas* I, Santiago de Chile: Andrés Bello, 1976, p. 270.
14 Los errores ortográficos —como por ejemplo la omisión de acentos («corazon») o los acentos mal colocados («Cárlos»)— son típicos de sus obras posteriores.

húngaro que apareció en la cubierta: es obra de Sándor Bortnyik, figura de alto relieve de las vanguardias húngaras con lazos estrechos con la Bauhaus; el título original es *Aktivizmus*, que tenía distintas variantes, ésta es idéntica a la que se publicó en el número internacional de la revista *MA* en mayo de 1920.

Ésta fue la primera instancia del caso curioso que referimos al inicio; por una serie de casualidades se encontraron dos grupos vanguardistas en un punto insospechado del mapamundi literario: un autor centroeuropeo, exiliado no sólo de su patria, sino también del *establishment* artístico, vuelve a la literatura en el hemisferio sur, en Valparaíso, firma un manifiesto chileno y aporta una ilustración húngara para el mismo. No es menos llamativo el segundo acto de ese encuentro: en el mismo año Remenyik publicó en Chile su primer texto en español, *La tentación de los asesinos*, obra poética llamada «epopeya» por el autor, acompañada por su «explicación», el *Cartel III*. Los editores son Agrella y Walton, la casa se llama Tour Eiffel, las ilustraciones son obra del mencionado pintor mexicano, Jesús Carlos Toro. Según una reseña de la época que se guardó entre los papeles de Remenyik[15] el grupo de Valparaíso tenía «ya trazado desde sus principios un vasto y valioso programa accional» cuando Remenyik les entregó dos obras inéditas, y decidieron lanzar la colección con una de ellas. El colofón indica una tirada de 500 ejemplares, Walton califica el libro de fuerte narración neorrealista, pero añade que no se vendió ni un ejemplar del libro en las librerías.[16] El texto tiene mucho de improvisación y escritura automática, como también tiene evidentes problemas estilístico-gramaticales y un descuido general de la edición, pero, sin duda, cumple con las expectativas vanguardistas del grupo de *Rosa Náutica*. La citada nota periodística, publicada en *La estrella* con el título de «Las modernísimas tendencias de la literatura: el activismo», declara entusiasmada que ese libro «rotundo y verdaderamente original» se publicó para

> demostrar, desde luego, que las literaturas libres: cubismo, futurismo, creacionismo, ultraísmo, activismo, expresionismo, atraccionismo, etc. son una cosa definida sólo que aquí no entendida y apreciada, pero que allá en sus respectivos países de origen (Francia, Italia, España, Hungría, Alemania), constituyen la literatura que en un muy próximo mañana sustituirá inevitablemente,

---

15 Véase «Las modernísimas tendencias de la literatura: el activismo», en *La estrella*, 4, Valparaíso, 1922, p. 3.
16 Cf.: «Apuntes para una biografía de Neftalí Agrella», p. IV, op. cit.

a las desgastadas expresiones estéticas y los estrujados conceptos literarios en uso.

Remenyik, seguramente, no fue visto de esta manera en Europa, de hecho, perteneció tan sólo marginalmente al grupo de *MA*, revista húngara que se mantenía en los márgenes durante su exilio en Viena.

El paso siguiente de Remenyik en la aventura latinoamericana se produjo en el Perú adonde llegó a fines de 1922 y donde continuó publicando obras en español. En 1923 publicó en *Agitación*, casa editorial limeña, un volumen que contenía tres epopeyas probablemente todas escritas todavía en Chile, a saber, una reedición de *La tentación de los asesinos* y dos textos más, *La angustia* y *Los muertos de la mañana*. El libro lleva por título *Las tres tragedias del lamparero alucinado*; en la presentación se mencionan las tres obras con la frase siguiente «Con el CARTEL N.º V. O. P. 96-97», pero en la edición no aparece tal texto; se trata seguramente de los carteles IV, V y VI que hemos encontrado en forma manuscrita entre los papeles de Remenyik guardados en la Biblioteca Nacional Széchényi de Hungría[17] y que publicamos ahora; son textos breves que acompañan las epopeyas «explicándolas» como lo hizo el Cartel III respecto a *La tentación de los asesinos*. El libro comienza y termina con dos frases retóricas; al comienzo leemos «¡Dios le guarde en sus pensamientos!», al final «¡El fin del mundo llegará junto con mi muerte!». La cubierta se diseñó por el propio autor que se autorrepresentaba como lamparero, imagen frecuente en la época, al menos, en el círculo de la revista *MA*; el mencionado Sándor Bortnyik, por citar un solo ejemplo, tiene una pintura con el mismo título: *A lámpagyújtogató* [El lamparero]. Si bien, durante los años limeños, Remenyik mantenía su contacto con el grupo de Kassák y mandaba textos a distintas revistas húngaras,[18] parece que consideraba la posibilidad de establecerse en la República del Perú. Se compró una casa, abrió una oficina comercial en el centro (en su tarjeta la dirección es Gremios, 416), se enamoró de una chica arequipeña, Águeda, y comenzó una vida nueva con ella. La tentativa, sin embargo, desembocó en una tragedia, ya que su joven amante resultó tísica, y no poco después de dar luz a una hija, las dos murieron (Remenyik cuenta esta triste historia detalladamente en la citada novela

---

17 Los manuscritos de Remenyik, entre ellos los textos en español, se encuentran bajo la signatura FOND 109.

18 Ver nota 4 en «Periferia vs. periferia: el caso de Zsigmond Remenyik, poeta húngaro en la vanguardia chileno-peruana», en *Revista Estudios,* 24-25, 2004/6, pp. 157-175.

autobiográfica, *Vész és kaland*;[19] existe una traducción al francés del capítulo en cuestión).[20] No se sabe qué otros motivos tenía Remenyik, pero este fin trágico seguramente fue una de las causas que le incitaron a tomar la decisión de abandonar El Perú y terminar la aventura latinoamericana. Pero no sin un saldo moral que verbalizó a posteriori en sus textos autobiográficos. En *Vész és kaland* termina, por ejemplo, la historia de Águeda con estas palabras:

[...] en esos momentos [al salir del cementerio se encuentra con unas monjas] me hice hombre, en esos momentos llegué a tener conciencia de lo que significa la obligación, de cómo habría que comprender las leyes materiales y morales del mundo caótico, y qué es, en su esencia, la caridad. Ahí, en esos momentos sentí por primera vez, de manera inequívoca, mi vocación, mi misión, aquí en esos momentos oí por primera vez de manera pura y clara un mensaje de la fidelidad, la amistad, el honor, la responsabilidad, la caridad y la paciencia, y del desprecio de la irresponsabilidad, y de la prohibición de humillar a los desheredados, todo lo que he de observar, sentí, como una ley y un mandato.[21]

En *Az idegen* hizo luego esta síntesis:

Tengo que confesar que a pesar de las duras pruebas, sufrimientos y luchas nunca, en ninguna parte fui tan feliz como en ese periodo de mi vida. Me sentía en mi ambiente. Vivía entre trabajadores manuales, pescadores, leñadores, fogoneros, manaderos [sic], peones que trabajaban en las plantaciones, y si evoco la humanidad, la honradez que llenaban sus almas sencillas, tengo la impresión que hasta hoy es su recuerdo que me sustenta la vida.[22]

A principios de 1926, Remenyik retiró su dinero ahorrado en Lima (se guardó el recibo, eran 1 350 dólares), y con una curiosa escala en Pretoria, regresó a Hungría. El autor húngaro escribirá una obra más en castellano, *Los juicios del dios Agrella*, novela vanguardista sobre su amigo poeta de Valparaíso. Según el manuscrito, lo terminó el 2 de septiembre de 1929, tres años después de su vuelta a la patria, en Dormánd, su pueblo natal. Hay indicios de que trató de publicarlo a través de una agencia internacional, pero, que sepa-

---

19 Zsigmond Remenyik: *Őserdő. Vész és kaland,* Budapest: Magvető, 1961, pp. 210-243.
20 Ver *Aguida, mon amour*, Budapest: Editio plurilingua, 2000, pp. 64-93, traducción de György Ferdinándy.
21 Op. cit., p. 243.
22 Zsimond Remenyik: *Az idegen*, op. cit., p. 23.

mos, hasta ahora no se ha publicado en castellano. En una versión abreviada que el autor mismo tradujo y publicó más tarde con el título de *Agrella emléke* [Memoria de Agrilla][23] Remenyik clasificó el texto más como testimonio que como necrología y biografía,[24] y en una breve nota autobiográfica de 1933 insistió en el carácter fantástico del poeta quien, según él, se deificó entre los salvajes y su figura «sobrepasó los límites de lo real y se convirtió en un personaje novelesco. Sobre él y sus opiniones escribí, para la gran indignación de mi escritorio, la novela *Los juicios del dios Agrella*».[25]

Con esta obra se cierra el ciclo de siete años de aventuras latinoamericanas y las obras escritas en español de Remenyik, pero en absoluto desaparecen de su vida y obra el elemento de la aventura ni lo vivido en América Latina. Al volver a Hungría le tocaron vivir otras aventuras, nada fáciles de aceptar: tuvo que enfrentar un *establishment* socio-político muy contrario a su gusto, a la vez, tuvo que aguantar los ataques de sus propios compañeros de la llamada *izquierda*. Los dos apodos que se le pegaron antes de salir de Hungría seguían, sin duda, siendo válidos para su nueva situación: «el pequeño millonario de Eger» aludía sarcásticamente a considerársele un intruso en las filas de la izquierda; «el Quijote de Heves» indicaba su lucha obsesiva contra los molinos de viento de su época. Después de ver fracasadas sus tentativas de reconciliación quedó muy pronto marginado de todo y de todos. Para dar un ejemplo de sus confrontaciones con el medio ambiente, mencionamos el pleito en que le involucraron en 1932 por defamar la religión en su obra *Bolhacirkusz* [*Circo de pulgas*]. Unos años más tarde, el desesperado autor volvió a salir del país, esta vez, rumbo a los EE UU, donde se metió otra vez en el comercio y se dedicó de nuevo a la literatura. Muy decepcionado del Nuevo Mundo, volvió a Hungría en 1941 para vivir y sobrevivir las atrocidades de la Segunda Guerra Mundial con sus funestas secuelas centroeuropeas. La posguerra tampoco lo eximió de aventuras que se le impusieron, como a todos, en su propia patria durante el estalinismo. Entre 1948 y 1955 no pudo editar casi ningún texto, sólo desde 1955 en adelante volvió a la vida literaria con más de una docena de libros publicados hasta su muerte. Con todo ello el balance final que hizo en un fragmento autobiográfico el 6 de mayo de 1960 contiene estas palabras

---

23 Obra que publicó primero en dos partes, en la revista *Szép szó* (II, 4 y 5, 1938, pp. 356-379 y 449-468); su edición moderna se encuentra en Zsigmond Remenyik: *Pernambucói éjszaka. Három kisregény* [*La noche de Pernambuco. Tres novelas cortas*], Budapest: Magvető, 1958, pp. 169-232.
24 Ídem., pp. 171-172.
25 Ver el citado texto en nota 8.

amargas: «[…] y tengo que confesar que mi vida, que siempre y bajo todas las circunstancias consagré a la causa de los perseguidos, desheredados y oprimidos, ahora está totalmente desmoronada… Considero mi obra un esfuerzo vano y sin resultado alguno. He vivido en vano y he trabajado en vano —ésta es la verdad.»[26] Vista desde cierta distancia, si bien esta visión pesimista se comprende, no se justifica; mirando sólo los indicios exteriores, es evidente que la figura de Remenyik está presente hasta hoy en la cultura húngara: su casa natal es un museo en Dormánd, lleva su nombre una escuela secundaria en la cercana ciudad de Füzesabony, y la capital provincial de Eger, que fue testigo de las primeras rebeliones y desahogos del autor, nombró una calle en su memoria.

Y parece aun menos justificado su desahogo si consideramos la supervivencia de sus aventuras latinoamericanas en las obras que publicó más tarde. De hecho, nos parece que Remenyik nunca dejó de escribir en húngaro durante sus años latinoamericanos. Seguía en contacto con el grupo de Kassák y varias revistas de Hungría (usaba los seudónimos de *Bb.* y *László Remenyik*), testimonio de lo cual se puede ver no solamente en los textos que aparecían en *MA* y otras revistas, sino también en una afirmación que encontramos en una nota suya de 1932: «Me ha invadido otra vez la náusea, el hartazgo, y me he vuelto a pasar la prueba de ser fuerte para destruir mis textos. Para la evidente alegría del dios de las casas editoriales, lectores y redactores he llegado a aniquilar manuscritos que podrían llenar veinte libros gruesos».[27] Al volver a su patria en 1926, multiplicó, sin duda, sus actividades literarias. Con Sándor Bortnyik fundó una revista literaria (*Új Föld* [*Nueva Tierra*], 1927) donde comenzó a publicar una serie de artículos con el título de *A vanguardizmus spanyol reprezentánsai Európában és Amerikában* [*Los representantes españoles de las vanguardias en Europa y América*]; se publicó sólo la primera pieza (sobre Guillermo de Torre), la sexta iba a tratar sobre el panorama chileno. Más tarde formó parte del consejo de redacción de la prestigiosa revista *Szép szó* [*Palabra Bella*], y muy pronto comenzó a escribir cuentos, artículos, novelas, obras dramáticas. Entre ellos se encuentran varias novelas autobiográficas: *Vész és kaland* [*Peligro y aventura*] (1940), *Por és hamu* [*Polvo y ceniza*] (1955), *Vándorlások könyve* [*Libro de peregrinaciones*] (1955), *Őserdő* [*Selva*] (1959) y *Az idegen* [*El forastero*] (1962) que se basan en mayor o menor grado en lo vivido en América Latina. Ninguna de ellas recibió

---

26 Fragmento autobiográfico encontrado en FOND 109/13/5.
27 Véase «A vész és kaland tervezete, önéletrajzi adatok» [«Plan de Peligro y aventura, datos autobiográficos»] entre los papeles del autor: FOND 109/13/2.

la crítica que merecía, principalmente por el nivel lingüístico-estilístico muy contra al canon establecido por la época, contra tanto a la llamada literatura urbana como a la popular; la materia «exótica» y la forma irregular, muchas veces picaresca, provocaron, creemos, la incomprensión y el rechazo de la crítica oficial; el *Apocalipsis humano*, su ambiciosa colección de novelas con un título balzaciano sobre el desmoronamiento del mundo de antaño de Hungría, está íntimamente ligada, en términos humanos y emocionales, a lo que describió en sus novelas autobiográficas de América Latina.

Las obras en español de Remenyik no son numerosas y se limitan tan sólo a unos ocho años (1921-1929) de su carrera literaria, pero representan, creemos, un corpus que va más allá de ser una mera curiosidad de la historia literaria. Primero, es un fenómeno muy indicativo del carácter abierto, cosmopolita y también efímero de las vanguardias: aparece una figura desconocida de otra cultura e idioma en un grupo menor de artistas que la admiten sin escrúpulos, publican algunos textos juntos con un entusiasmo febril, y luego muy pronto desaparece la iniciativa colectiva para subsistir sólo en obras individuales. Segundo, el caso Remenyik arroja cierta luz sobre la dinámica de las relaciones entre centro y periferia en la institución literaria.[28] Al llegar el autor húngaro se encontraba en la periferia en más de un sentido (rebelde de su clase social, revolucionario contra el *establishment* de la época, escritor activista y exiliado), sin embargo, el grupo de *Rosa Náutica*, de las revistas *Antena* y *Elipse* y la casa Tour Eiffel lo admitió y celebró como representante del centro de las nuevas literaturas occidentales. Y al revés, Remenyik, al volver a Hungría, les asignó a varios miembros del grupo de Valparaíso (Walton, Toro) una importancia que seguramente no tenían en el contexto continental latinoamericano y, como hemos visto, deificó en una novela a Agrella. Parece que en el contacto eventual de dos periferias el elemento común es su mutua dependencia del centro, por lo cual no se realizó un encuentro verdadero, o sea de sus propios criterios. Tercero, el tratamiento de los textos también indica la misma orientación hacia el centro: en Valparaíso y Lima se retocaron los textos improvisados y descuidados del autor húngaro para acercarlos a las expectativas del público, y al revés, al preparar Remenyik en su patria una versión húngara (autotraducción) de su novela sobre Agrella, podó y modificó el texto original de tal manera que fuera aceptable para el canon de la

---

28 Ver mi artículo mencionado en nota 17, la monografía de Georges Ferdinandy (*L'œuvre hispanoamericaine de Zsigmond Remenyik*, The Hague: Mouton, 1975) y los estudios que publiqué en *Ensayos sobre la modernidad hispanoamericana*, Murcia: Universidad de Murcia, 2000, pp. 141-152, 153-164 y 165-171.

época. El resultado final coincide con lo observado en el punto anterior: si bien la entrada de la obra no canonizada de Remenyik a un círculo marginado resultó muy fácil así como la materia latinoamericana pudo pasar más tarde sin obstáculos a sus obras novelescas y autobiográficas nada consagradas, en ninguno de los casos se llegó a los estratos dominantes dentro de los respectivos polisistemas.

Publicamos en este volumen íntegramente[29] las obras en español de Remenyik en la forma en que aparecieron o, en el caso de *Los juicios del dios Agrella*, tal como se encuentra en el manuscrito. *La tentación de los asesinos* la publicamos según fue publicada en la segunda edición, entre las epopeyas de *Las tres tragedias del lamparero alucinado*; los *Carteles* IV, V, VI, hasta hoy inéditos, siguen el *Cartel* III, todos juntos al final de los textos poéticos. Hemos guardado con toda fidelidad la estructuración de los textos, como también dejamos intactos los errores de imprenta, de gramática y ortografía, tal cual aparecieron en las ediciones chileno-peruanas.[30] Las ilustraciones son todas originales.

---

29 En húngaro ya están publicados en el citado volumen *A képzelgő lámpagyújtogató*.

30 Aprovecho esta oportunidad para agradecer la ayuda recibida de Mercédesz Kutasy, estudiante de doctorado, en las arduas labores de transcripción.

Rosa Náutica. *Antena*.
Hoja vanguardista n.º 1
con el grabado en madera de Sándor Bortnyik.

ANTENA
Hoja vanguar-
dista no.1

Rosa Náutica

O N E
S

El Arte nuevo y la nueva Literatura han recorrido los circuitos ideológicos, hasta en los países más antipódicos a Chile. Han hecho su trayectoria, subsolar y clandestina al principio, abierta y magníficamente frutal más tarde. Europa es hoy el tablero de una planta eléctrica, donde se abren bajo el gobierno de fosforescentes operadores, las múltiples rosas amarillas de las ampolletas. Y de ese enorme tablero parten incontables ISMOS, cables submarinos o terrestres que han buscado los intersticios eocénicos, traspasando invertebradamente los estratos seculares para transmitir a las 4 esquinas de la Rosa Náutica la nueva vitalidad eléctrica, la futurista sensibilidad y la debiscencia jugosa del *humour* que en Europa, corazon del planeta, han sustituido a los ancestralismos fatalistas.

Las manifestaciones perforantes de aquellos epimeteos adolescentes en los estrados académicos, un día cualquiera, gritaron su credo arbitrario, su nuevo Credo, el nacido de sus nervios voltaizados ante el aspecto de las modernas ciudades, que sinfonizan la hora actual con la respiración de los mil pulmones de sus usinas acezantes, sonaron a cosa absurda y combatible hasta en los países mas ecuánimes y espirituales, porque es condición de los hombres no creer sino en lo que les enseñaron. Aquellas subversiones mentales imprevistas provocaron reacciones subterráneas y ataques sin cuartel. Especialmente, las mediocridades híbridas que se alimentan con los residuos de lo que devora la gran Bestia de la Incomprension, mancharon con su verba cartularia y con su ideología de prendero, los iniciales gritos jóvenes. Luego las transparentes mediocridades locales reafirmaron las impugnaciones de los otros, y hubo un admirable coro de ranas, entre los terciopelos de sus pantanos, alarmadas de ver

salir una Luna nueva, una luna de madera forrada en papel de plata... Se cansaron por fin, los batracios, de protestar por el orto imprevisto del astro nuevo. Callaron y se adormilaron, como en un proceso inverso, del estado de anfibios adultos, amaestrados en el *Brek-ek-ekex* aristofánico, al estado de renacuajos. Entonces, hombres de buena fé que callaron en medio de la noche, descifraron los signos nuevos aparecidos en el Zodíaco del mundo. Sus tablas, repletas de los futuros signos jeroglíficos, esperaron la llegada de los hermes nacidos en el Espíritu nuevo, el ázoe actual que llena de ozonos saludables los pulmones adolescentes. Nacidos con la clave de las nuevas palabras, los hermes universales lanzaron a los aires las granadas maduras de sus ideaciones hiperlícitas, las que caían sobre los tejados de las ciudades milenarias y sobre los sombreros de copa de los octogenarios viandantes, haciendo bailar ante sus ojos empavonados imágenes poliédricas. Y por la imposición, hasta contra los más incomprensivos, de una cosa primicial y mentalmente nutricia, los augurales poseedores de las claves filoneistas del Arte y la Literatura lograron, en el proceso de doce años de implantacion, una personería cívica de novadores y revolucionarios que les permite y les permitirá efectuar la aclimatacion completa de las nuevas fórmulas. Así es como hoy, en Europa, el Arte nuevo y la Literatura libre son cosa del día, cosa naturalísima. Pocos la combaten. Por el contrario, todos tratan de iluminarse, de «encontrarse sonoros», según la expresión francesa, para ponerse a tono con las anticipaciones de los mas espirituales.

Sólo en nuestro Chile, Laponia espiritual, está aún por conocerse todo ese enorme ciclo de ideología nueva. Se la conoce algo entre nosotros, que nos hemos eximido por nuestra propia cuenta de seguir las aguas de los cetáceos literarios de campanillas de nuestro Mar Artico... Demas está decir que *críticos* esquimales, como ese señor ALONE ignoran en absoluto las nuevas manifestaciones intelectuales.

Ha bastado, sin embargo, lo relativamente poco que conocemos esas literaturas, entre nosotros los jóvenes, para que informándonos circunstancialmente, encontráramos los viaductos propios, que irreveladamente presentíamos en la niebla anterior. Y por ellos hemos entrado sin demora, encendiendo las linternas sordas de nuestras emociones acrobáticamente lógicas. Pero nadie, ni nosotros mismos tenemos derecho a juzgar, *todavia*, el valor de nuestra obra, a no ser en la comparatividad de un comentario amical e iluminativo. Pertenecemos al futuro, y en el futuro nos explicaremos solos.

Tendremos por norma la celeridad evolucional de la Rosa de los Vientos. Nada de células. Las poleas de trasmision del mundo taladran nuestras membranas auriculares y despertados de los eglójicos adormilamientos, engranamos nuestro corazón al gran sistema nervioso de las máquinas futuras. Tenemos la juventud de los calendarios, que hacia la tarde ya no son sino un monton de hojas amarillas: pero *nuestra hora* la viviremos cien años más tarde. Tanto dá. No nos preocupamos. Cien planetas nacen cada mañana en los horizontes de nuestras pupilas. Todos son agujereados al instante por el trépano de nuestra curiosidad vertijinosa; y quedan como los discos rojos y blancos de un *shooting saloon*. Así, somos Pasado, Presente y Futuro. De aquí que no queramos nada con el ZOO del Arte oficial; caldo de gelatina para todos los bacilos del pseudo arte. El CAMOUFLAGE LITERATURA and Co. ya nos atosiga. En él hay toda la escalonada cretinidad de los manicomios. (No nos convenció el fantoche de M. Pantoja, con dinero y sin talento, como no nos convence tampoco Pedro Prado, con algo de talento, pero maleado por el ambiente y propenso a las vulgares *fumisteries* de un Lomice Terreux.)

Una expedición nueva de hecatónqueros intelectuales sube a las planicies del Sol. Somos la generación naciente. Hemos nacido en el Espíritu Nuevo de Apollinaire, Marinetti, Huidobro: de modo que no tenemos necesidad de sacudir las paredes ahumadas de los figones literarios antecedentes. Tal SELVA LÍRICA, anuario hidrográfico y dermatológico de tres generaciones reglamentariamente atrofiadas por el PATHOS romántico.

Los viejos «poetas», en sus sillones valetudinarios, harían bien en saludarnos agitando las banderas grises de sus manos. Ellos y todos los que viven la *actualidad* de hace 50 años, deberan abrir las ventanillas de sus desvanes psicológicos, para vernos, a nosotros, que vivimos la actualidad futura.

La Dirección del movimiento vanguardista chileno

Neftalí Agrella, Julio Walton, Martín Bunster, Jacobo Nazaré, Salvador Reyes, A. Rojas Giménez, Rafael Yepez Alvear, Alfonso Leon de la Barra, Próspero Rivas, Segismundo Remenyik, Pablo Christi, Francisco Carocca, Cárlos Ramírez B., Eugenio Silva, René Silva, Julio Serey, Cárlos Toro Vega, Ramón García y Boente, Gustavo Duval, Marko Smirnoff, Ramón Corujedo, R. Hurtado, Oscar Chavez, Humberto Coriolanni, Fernando García Oldini – **Adhesiones**: Vicente Huidobro, Jacques Edwards, Guillermo de Torre, Jorge Luis Borges, Norah Borges, Manuel Maples Arce.

Portada de *Las tragedias del lamparero alucinado*
(Lima: Agitación, 1923) diseñada por el autor.

LAS TRES TRAGEDIAS
DEL LAMPARERO ALUCINADO

ZSIGMOND REMENYIK presenta en este libro
sus tres epopeyas de:

La Tentación de los Asesinos! O. P. 85
La Angustia! O. P. 92
Los Muertos de la Mañana! O. P. 93
Con los **Carteles** III, IV, V y VI, O. P. 94-97

Dios le guarde en sus pensamientos!

La tentación de los asesinos!

O. P. 85

La Editorial de arte nuevo y literatura libre

"TOUR EIFFEL"

Presenta a:

ZSIGMOND REMENYIK

escritor **activista** húngaro y
al dibujante mexicano

JESUS CARLOS TORO

con el libro extraño

LA TENTACION DE LOS ASESINOS

**Se vende en todas las librerías y especial-
mente en los teatros y cines**

Imp. Viñamarina

Anuncio comercial de *La tentación de los asesinos*.

1

Era triste!

habia venido de tierras lejanas

perdiendo a menudo al salir de ellas las luces sin dejar huellas tras de sus pasos.

Grandes y tristes iglesias situadas en la niebla había, pero él las rodeaba porque asesinó y tenía en su alma cruda brutalidad y, contra la humanidad odio!

Pasaba a través de altos montes oscuros. Vinieron animales salvajes, lobos y osos, pero vieron sus ojos terribles en los que traía dos cuchillos y una media luna con siete estrellas

arrancaron hacia sus cuevas y aullando comiéronse sus criaturas espantosamente!

No era principio ni era fin!

Grandes campos infructíferos había entre las montañas, era salvaje, todo, él iba a traves de caminos anchos y largos que yacían como caballos blancos bajo la luna,

oh infeliz!

signos raros pendian de los olmos en los valles y había guerreros oscuros y sangrientos de los pasados siglos allí

pero él gritaba ante el futuro, con pensamientos terribles en su cerebro! negando los dioses

la fé

y el alma!!!

en su cabeza oscura había crueldad y contra la humanidad horrible odio!

2

Llegaba hasta las aguas.

Grandes rios grises fluían del norte y algunos barqueros esperaban a la orilla, sus cabezas en quietud mortal!

Ellos le preguntaban como ciegos y pálidos:

adónde vas?

Y él respondió con el gesto de los profetas y de los asesinos:

Conocéis vosotros al asesino que lleve en sus sangre cruda brutalidad y contra la humanidad odio? Le conoceis vosotros? Yo soy!!

Y arrebataba las orillas del río, rompía las raices de las islas y variaba el órden de la naturaleza!

Así llegó la tercera noche.

Entonces sintió sueño en su cerebro y en su corazón, escaló las cimas de las montañas, sacó de sus ojos la media luna con las siete estrellas

y las puso sobre el cielo!

y durmió durante siete largas noches!

teniendo en sus dos manos verdes los dos cuchillos que sacara de sus ojos cerrados.

3

Por la mañana de la octava noche sacó la media luna
con las siete estrellas y los dos cuchillos

y en sus ojos abiertos
los puso otra vez! y bajó de las cimas arrodilladas

vió campos alegres
y lagos azules en la lejanía, hasta que en grandes manchas cubrió
la nieve al sol!

Todo estába en el espacio:

la tierra
la energía
y la materia!!

y todos sus socios
pasados en el asesinato tenían las rejas de los calabozos ante sus
frentes.

El era libre! con la naturaleza de los lobos, habiendo
sido su padre un sepulturero y su madre tenido la señal de los
mártires!

y él era uno en Jesús,

y con rotos vestidos cómo pasó a
traves de las colinas, quien no podía perder nada ya!

arrebató las cruces de los fosos!

Grandes lámparas verdes
viajaban, como peregrinos cansados, en la profundidad!

El hacia ellas iba
teniendo una gran sed,
y junto a las parvas lejanas ladraron lor perros

y una cam-
pana!

una voz del Este, de donde era hijo!!

4

Dejó atras las lámparas verdes que viajaban a través de las colinas, como peregrinos cansados
y alcanzó las parvas saltando en el crepúsculo!
y allí, arrodillados en la sombra amarilla, algunos músicos de cabezas tristes y pechos inclinados
tocaban en sus violines y guitarras las más alegres canciones, pero sentado en sus ojos estaba el hambre!
El los vió
y les preguntaba:
Véis la sombra de los árboles? Las montañas bajaron del Este, ya vienen. Qué queréis? Y soy el asesino! Véis la media luna con las siete estrellas y los dos cuchillos en mis ojos abiertos? Yo tambien soy un músico! Pero desprecio los instrumentos. Me siento arriba de las montañas, y oigo las voces, los gritos de la naturaleza! Oigo las tempestades de la mar y el llorar de las tierras infructíferas! Las selvas gritan, las oís? Sois los asesínos, de las voces y de los hechos, que son hermanos entre sí. Yo os desprecio! Tenéis hambre? Sobre las pampas pastan los animales del patrón: arro jadlos por el Oeste!! Allí oid mi grito en las noches. Yo os llamaré.
Ellos dejaron sus instrumentos a la sombra de las parvas, arrojando los rebaños hacia Oeste!

5

Llegaba la noche
los árboles le saludaron
pero él era ciego, no los sintió.
Estaba bajo un gran viento Norte. Sintió hambre y se
entró a un establo
donde sentados peones de caras destrozadas, bajo
la luz oscura, bebían leche, comían tocino y pan.
El sentóse entre ellos y dijo: Tengo hambre!
Ellos dividieron su armuerzo con él.
Estaban sucios y hablaban muy sencillamente.
Usaban estas palabras:
miseria!
trabajo!
el futuro!
profetas!
salvación!
pero estaban fatigados y
descansaron en sus camas con sueño profundo.
Entonces salió él fuera de las casas, y puso arriba del
establo la media luna con las siete estrellas, para que hicieran guardia durante el sueño de los peones,
pero los dos cuchillos dejó en
sus ojos ciegos.
Grandes perros pálidos ladraban cerca de las fuentes
y él
patrón dormía sobre las parvas!
El subió a los galpones y graneros,
vió las siluetas de los rebaños y los músicos, en la cima
de las montañas lejanas,
sacó los dos cuchillos de sus ojos ciegos
y los cruzó encima de la cabeza del patrón
que dormía!

6

Despés bajó de los galpones y graneros
descolgó las lámparas oscuras de las paredes
y con ellas allegó fuego a las parvas, galpones y graneros!

y entró en el establo de nuevo mientras dormían su sueño profundo los peones, les movía los hombros y les despertaba.

Ellos se levantaron y él les mostraba las parvas, galpones
y graneros ardiendo.

Los animales temblando acudian y él alzando
sus dos manos decía:

Miráis mis manos y no sentis miedo! Véis las tierras
infructíferas. Hace gran viento norte y no tenéis frío. La tierra es
vuestra e imploráis la salvación. Ahí están las fuentes, laváos en
ellas vuestros cuerpos sucios, ocupad las casas del patrón

y   traba-
jad por vuestra felicidad. Yo voy al sur! Tenéis frío? Ahora están
las parvas y graneros ardiendo: Calentad vuestros cuerpos! Cuando
veáis la salida del sol, venid al sur vosotros tambien!

Los peones lloraban de alegría,

venían grandes árboles
gritando

y las grandes lámparas verdes, como peregrinos cansados
en la profundidad

y se sentaron todos juntos a las parvas, graneros
y galpones ardiendo entre el viento norte,

a calentar sus cuerpos fríos.

7

Ahora atravesaba cementerios, y vió cadáveres al borde
de nuevas sepulturas

y allí luchaban los sepultureros con los cadáveres!

El vió los sepultureros
y recordó a su padre
lloraba a mucho ahora
y sintió sueño otra vez.

Se durmió, y vió en sueños grandes montañas, y mares
e iglesias en la niebla

y vió vírgenes muertas que le miraban, y
habían sido fructíferas!

y vió los socios de su fé tras las verjas de
los calabozos, llamándole, gritando su nombre,

y vió su madre que estaba arriba de las montañas arro-
dillada.

Lloraba ahora mucho
Era media noche cuando se levantó
Subió sobre los árboles

dividió la media luna con las siete estrellas en el cielo
y tras ellas salió.

No vió a nadie
llevando su sombra a través de los campos infructíferos!

8

Vagaba en la niebla
Grandes cuervos negros volaban en el aire gris
y vió un convento arriba, al lado de las colinas perdi-
das en la niebla
Grandes setas venenosas crecían bajo los campanarios,
y a todos lados fosos profundos y torcidos mostraban
cuevas de serpientes
Ahora sintió el princicipio
del
fin!
Sentóse sobre las colinas y dijo:
Hay que cambiar el órden de la naturaleza!
Hay que cambiar la materia, pero quién tiene la fuerza
de los lobos? Yo soy el asesino y mi padre fué un sepulturero y
mi madre tuvo la señal de los mártires! El dios está sentado arriba
de mis palmas, y yo soy el asesino!
Oyó entonces la voz de una súplica embotada en la profundidad, se levantó de las colinas grises,
vió una gran puerta abierta, y escaleras rotas que guía-
ban hacia un sótano
La media luna con las seete estrellas bajaron del cielo vil,
ellas se acostaban ante la puerta como perros fieles
mirando   los   ojos
tristes del asesino, de la materia de las cuales era su cuerpo!

9

Entró en seguida al sótano y vió una multitud de monjes bajo la luz de una lámpara, que arrodillados en las piedras duras comían el cerebro y el corazón de la humanidad. De las paredes pendían cadáveres verdes y caía del techo sangre coagulada!

El asesino entonces rompió sus propias piernas y de su pecho arrebatado sacó su pulmón e hígado y sus tripas sucias y mostrándoselos a los monjes a la luz de la lámpara, les dijo:

y mostrándoselos a los monjes a la luz de lámpara, les dijo:

Yo soy el asesino, y el dios está sentado encima de mis palmas! Ahora quiero para mí la fuerza, Yo cambiaré el órden de la naturaleza, La media luna con las siete estrellas son mis socios, entendéis? Vosotros sois ratones del pasado y yo grito al futuro, oíd. Ahora están las montañas y los mares, la materia y la fuerza esperando mi grito en la noche. Qué queréis? Cuando salga el sol saldrá también la niebla, y vosotros estaréis muertos. Comed mis tripas y bebed la sangre que cae del techo del sótano! Y esperad temblando la salida del sol, cuando llegue la muerte cruel!

10

Ellos, temblando comieron sus tripas, pulmón y es-
tómago,
llorando le imploraban piedad;
pero vieron los dos cuchillos en sus ojos ciegos,
temblando esperaban la muerte con la salida del sol!
El sacó las lámparas de sobre sus cabezas rotas
subió las escaleras de nuevo
hizo señas a la media luna con las siete estrellas, y las
puso otra vez denrto de sus ojos,
caminaba en la niebla!
Grandes árboles milagrosos se le-
vantaron arriba en las colinas, y animales salvajes venían con inquietud, montaña abajo!
y asi llegó con la lámpara hasta una meseta
donde vió unos verdugos borrachos que bailaban gritando cerca de una mesa sangrienta
y no lejos de ellos había siete cadalzos
con siete cadáveres de ahorcados!
El los veía y les habló así:
No   hay
muerte! Yo soy el asesino que tiene el poder de fecundar la materia No hay muerte, por que la energia es eterna. Levantáos!
y sacó
las siete estrellas de sus ojos
y las puso en las manos de los siete
hombres ahorcados!
Ellos se levantaron
tenían
cuerpos verdes
y sus dedos eran de azúcar!
Usaban sus manos por pies
y siguieron así al ase-
sino,
bajando de las mesetas.

11

Llegaron cerca
de un valle
donde sentadas en multitud había de mujeres que tenían
pies negros y en sus bocas tenían velas ardientes.
El las miraba,
estaban solas
y eran estériles
hasta que en sus ojos mostraron la alegria de los niños!
y vió los ahorcados
los de cuerpos verdes
y dedos de azúcar.
Dijo pues a las mujeres cuyas tetas eran botones de
diamantes:
Yo soy el asesino y esos cadáveres de ahorcados traen
mi leche. Tienen cuerpos verdes y sus dedos son de azucar! Los
queréis?
y las mujeres que tenían pies negros y velas ardientes en
la boca, contestaron con gran alegría:
Sí, los queremos!
El asesino puso las lámparas sobre las
cimas de las montañas, y miraban a los ahorcados
como   pocreaban
con las mujeres solas y estériles
que tenían en la boca velas ardientes y esperaban al hombre del futuro.

12

Luego se levantó
y abrió las puertas de las ciudades, rompió las chimeneas de las fábricas y arebataba los barrios!
Salió el sol tras de las montañas:
Entonces huían de las fábricas y barrios los miserables! Los trabajadores con sus manos rotas y los niños pequeños
llorando de hambre y las hijas de la noche!
y ellos temblando le preguntaban:
Oh, di qué quieres?
y él
por contestación arrebataba los palacios de los ricos tambien. Las
campanas de los campanarios tiro a las aguas del mar, y sacó los
dos cuchillos de sus ojos,
y hablaba así:
Yo soy el asesino, y el dios
está sentado arriba de mis palmas. Yo conozco los secretos de la
naturaleza, tengo mi cuerpo de la materia del sol, la luna y las estrellas! Mi padre era un sepulturero y mi madre tuvo la señal de
los mártires! Mi leche tuvieron los cadáveres de los ahorcados y
cuando ví la materia gastada sabía que la naturaleza hay que cambiar, porque tuve la fuerza de los lobos!
Buscad la libertad!
y ellos lloraban
gritando!
Los trabajadores rompieron sus instrumentos
sangrientos
y las hijas de la noche lavaban sus caras en lágrimas de los niños inocentes!

13

Salió el sol!
Entonces el mostraba todo, las montañas y las selvas vírgenes y los campos fructíferos, las colinas verdes, los ríos y los
mares
    y dijo:
Ved! somos todos de la misma materia! Somos hermanos
de los animales, de los árboles, de las flores y yerbas! Ved: la luna
sigue las huellas del sol, y en los ojos de los cadáveres prenden
otravez su fuego las estrellas! En el principio era la fé!
    y besaba las colinas
    y las estrellas de los ojos de los cadáveres.
    Estaba sentado sobre las montañas!
    ahora venían los músicos y los peones
    los árboles bailando de las selvas
    y los animales salvajes!
    Todos por él clamaban
    por que Él tuvo el poder
             y la fé
                    cuando la luna con las siete es-
trellas salió de sus ojos y subió al cielo,
                    oh mi vida!
                miserable!
                ¡quién yo soy
                en la tentación
                del asesinato!

ZSIGMOND REMENYIK

LA TENTACION DE LOS ASESINOS!

EPOPEYA

A la izquierda: cubierta de *La tentación de los asesinos!* (Valparaíso: Tour Eiffel, 1922) con un dibujo de Jesús Carlos Toro.
Abajo: ilustración de Jesús Carlos Toro para *La tentación de los asesinos!*

La angustia!

O. P. 92

0

ANGUSTIA!
de la bebida, lo que me hace sentar sobre las iglesias y de las 29 mujeres
pasadas, que sus tetas celestes clavaron en mi cerebro.
ANGUSTIA
        de los callejones que me siguen con braseros hirvientes por sus
espaldas y la de la miseria de los puertos.
                                la de la siphilis que nos espera
con sus velas amarillas en las noches de color de limon.
ANGUSTIA
        de los espectros infelices de
                        Beetowen, Tolstoj, Schacespeare,
Dante, Boudleaire, Voltaire, Verlein, Dosztojevszkij, Schuman, Sofocles,
Homer, Ady, Hogel, Schopenhauer, Kant, Diderot, Liszt, Ibsen, Flau-
bert, Haeckel, Darvin,
            etc, etc!
                 que con sus idiologias pasadas toda la
media noche vuelven a asustarnos llegando atravez un camino verde bajo la luna!
           entónces yo tengo en mi mano la mano de la
                        MUERTE
                                     que re-
pinta las paredes claras con morado, y cambia los vidrios grises en mis
ojos con vidrios oscuros y trágicos,
                    para dejarme después solo bajo una
lámpara de gás,
        de que abrio su cañón sin allegarlo al fuego!

1

En la noche abrieron las ventanas manos invisibles ¡y los callejones tres veces repitieron los gritos perdidos,

que parecieron levantar los techos de los cuartos ¡las lámparas de gas se apagaron solas,

PUERTO!

con   mil cajones de salvarsan para un felíz embarque, ya vienen los resguardos con las lámparas verdes,

y con las pistolas de Frommer Baeby vestidos de Hamlet el príncipe danés en traje de fantasía!

BARRACAS

de depósito de wisqui legítimo,

(John Walker, Inglaterra.)

a quién no le gustaria un trago trágico bajo tal facilidades de pago con la vida.

INTENDENCIA

escritorios de la sección

PERMISOS DE FIJAR CARTELES!

las calles abrieron sus estómagos!

y llega la noche

teatros sin entrada se llenan, y el director de la Ca. de Tramvias Eléctricas

el mismo empuja los carros llenos por falta de la electricidad! y llega la hora de los espectros,

ahora

1 bimm

12 bamm, y

4 bumm, junto son 16, los maestros de las escuelas se despiertan con sus zapatillas de noche y apuntan todos los números existentes en la tabla de la clase.

no vijila nin- gún cachaco por las esquinas! ahora abren las ventanas manos invisi- bles, y las lámparas de gas se apagan solas,

los que no tienen que co- mer ni beber andan por la calle con ansuelos largos en sus manos para pescar los espectros de la media noche,

que tengan para el desayuno algo para comer!

2

HOSPITAL,
        Sala de operaciones, con 24 mujeres y hombres durante la
operación del sexo! enfermeras de doble corazón colgadas por la pared
y los médicos en los frascos de medicina!

                        quién hace entónces la operación
un   portero de la caja de ahorros ha sido el mejor poeta del país! él no
tiene que comer, y el socio de un almacen de música se dice que vive en la
I. Comisaría! o en la II, o en la III, o en la IV, o en la V, o en la VI, o en
la VII, o en la VIII!
                CAMINO REAL!

                                automóviles! ranchos! perros! ár-
boles! campo! viento del norte! en las montañas cae nieve! los campesinos
duermen ante de la puerta de la iglesia! una matrona embarracada en-
cendió la biblioteca pública por la orilla del río!
                                ESTACION!

                                toca la cam-
panilla, el jefe de la estación abre las puertas del escuzado, el cajero corta
su cabeza y la pone en la caja sobre los boletos,

                        y su cintura con su miem-
bro deja en la cama de su mujer!

                el expreso de! (11 1/2) llega una actriz del
teatro azul en sus manos con velas amarillas, llega el dueño de una fá-
brica de aspirina, y llega un negro de Africa para establecerse como portero en un hotel!

        UN BANCO!
                        [THE FIRST NATIONAL CANADIAN
BAN NEW YORK CORPORATION!)
                        fondo: L. 400.000!
ladrones en el Banco, los mismos del asesinato de un oyero los de la alta escuela, la policía sabe todo, pero les deja y calla porque está pagada
ya, los accionistas ocupan las 3 sillas del palco mirando la 1, série

                                        de la pe-
licula colosal

        LA DAMA INMACULADA?

                        de la
                        PERLA WHFIT!

3

CIRCO!
CASA DEL JUEGO!
TRIBUNAS DE CARRERAS!
                            los pobres hacen la huincha por sus pelos,
los huincheros no tendrán plata para afeitarse después; todo el mundo
juega falso: los acróbatas
                            y los bexeadores son impotentes y no valen na-
da para el matrimonio;
                            un mendigo busca el centro de la tierra; SELVA
VIRGEN!
            indios! el vendedor de la imágen de los dioses; la serpiente aven-
tura!
        ¡AVENTURA!
los tesoros de los incas, una noche en el boliche de la frontera chileno
argentina entre las rocas cordilleranas,
                            entre gauchos e indios! al tango
el licor de caña: y sobre las cabezas con una luz pálida y trágica la luna!
UN CALABOZO!
                en los cerros!!
                            los guardias con los fusiles cargados ha-
cen sus paseos por ida y vuelta! las ciudades se tapan con una frazada
de color gris,
                la niebla cayó!
en las calles se prendieron fuego las lámparas! los cuartos se ahorcaron
por el techo de los palacios,
                            y el arzobispo con sus llaves falzas abre la
puerta de la catedrál,
                            para robar las cruces y reliquias de oro para empe-
ñarlas en una agencia de la capital!
                            un suicida arrebata los puentes del
rio, se para todo movimiento, todo el mundo cierra la puerta de su casa,
la niebla cayó,
se apagan las luces eléctricas,
                            y alguien repica las campanas en los cam-
panarios,
            y en la niebla en las casas de puertas cerradas se levanta
LA ANGUSTIA!
                            apagando las lámparas y abriendo las ventanas en to-
das las calles y callejones de la ciudad!

4

La niebla cayó!
las campanas repican en la niebla espantosamente! algunos marineros
del puerto andan vagando a travez de las avenidas muertas
                                                        con   antorchas
lacres en sus manos!
                        todas las ventanas están abiertaz
                                                        parecen ojos ciegos
en la noche!
                y el mar
                        levatándose en un temporal!
                                                los ladrones!
                                                        en el fon-
do de un callejón! los marineros borrachos de antorchas lacres en sus
manos
        suben por los pasajes de los cerros!
                                                una mujer gorda se aparece ba-
jo las puertas, sonriendo y dice a los borrachos:
                                                tengo   una   virgen   vale
7 oros! ahora no anda nadie por la calle ¡cayó la niebla, venid!
                                                y ante las
antorchas lacres levantan las cortinas oscuras de la oscuridad!
                                                        CUARTO!
la niña! los marineros cuelgan las antorchas en la pared!
                                                queréis   tomar
algo?
        aguardiente!
                        y la mujer cierra las puertás de calle!
                                                ahora no anda na-
die afuera, la niebla cayó !la niebla cayó!
                                baile!
                                        vale 7 oros?
                                                        mujer cie-
rra las puertas del cuarto!   toman! la niña gritando lleva a los borrachos hácia un rincón!
                        la mujer cierra las ventanas también!
                                                        no hay nadie?
nadie! !
        los borrachos cuelgan sus vestidos bajo las antorchas lacres y
bailan así!
        la niña grita,
                        qué queréis?
                                        en la ciudad repican las campanas
espantosamente! y la mujer cierra las claraboyas del techo!
                                                los   borrachos
sacan sus ropas sucias, y las cuelgan sobre las antorchas lacres!
                oh, por dios,

por dios,

DIOS!

el callejón se hinca de ro-
dillas ante el puerto de la ciudad en la niebla!

5

Las antorchas lacres se apagaron sobre las cabezas de los borrachos! y
la virgen deflorada con su matríz sangrienta
                                        yacía por el suelo
                                        y la mujer abriendo las puer-
tas de la calle:
                    ahora puedes irte, son las 2 1/2 en la noche ¡algo tenia que
suceder en la ciudad, parece que fuera muerto todo! te reciben todavía
en algunas casas !cahora ya puedes irte! A TRAVEZ DE CALLEJONES!
                                        que esta salga sola
sobre la ciudad anclan los buques levantados
                                        por el viento!
                                                    las casuchas al
lado del mercado suben por los cerros! ella los sigue,
                                        vagando,
                                                    los bo-
rrachos sacan sus ropas y vestidos de las paredes, y en sus manos con
con las antorchas lacres bajan hacia el puerto!
                                        y la mujer se sienta sobre
el techo de la casa, en su boca traendo los 7 oros,
                                        esperando el amanecer!
EN UNA PLAZUELA CON PARQUE!
                                        ella llegaba hasta allá sin encon-
trar a nadie! ahora vienen dos mujeres barrachas
                                        por encima de los alam-
bres eléctricos hácia ella! la miran y se van otra vez sin decir nada!
                                                    y vie-
nen las ladrones tristes á travez del parque con las manos vacias,
                                                    en esta
noche sucedió toda la tragedia de la humanidad, ellos dirigen sus pasos
hácia los calabosos para entrar por las puertas abiertas de ellos!
                                                    y vienen
13 jóvenes
        mudos y
                ciegos todos 13,
                        con   lámparas   lilas   en   sus   manos,
abandonados de la universidad, los jinetes trágicos de la ciencia.
                                        a dónde se van?
                                        se desaparecen todos!
                                        ANTE UNA CASA
DE LA NOCHE!
"te reciben todavía en algunas casas" ¡golpea por la pared! en las ventanas iluminadas se aparecen las mujeres de velas amarillas!
                                        la preguntan:
¿que quiéres!
quiero descansar, trabajar!
mi vida es infeliz, no tengo nadie ¡estoy cansada!

y ellas con una risa que
levanta la niebla sobre los callejones!

andate al cementerio! allá puedes
acostarte, y cambiar tu vida infeliz por una más dichosa! andate al cementerio!

y bautizan con sus leches podridas a los hombres incados de
rodillas ante ellas,

bajo las velas amarillas que tienen en sus manos!

6

Caminaba a travéz de un puente del río! y el guarda del puente
con   sus
perros de ojos grises
la preguntó:
que ha sucedido en la ciudad y en los
puertos! los prisioneros se arrancaron de los calabozos! y yó hasta aquí
como repicaban las campanas por las noche!
contestó:
se cayó la niebla
nada mas! y en la niebla los callejones   se   incaron de rodillas ante el
puerto, pero todo era inútil, ¿dónde está el cementerio?
el   río   es   también
un cementerio!
entónces pasaba por la orilla del río, gritaban espantosamente desde los puertos
y los comentarios por la cumbre del cerro levantaron sus cruces mojadas!
POR UN CAMINO SOLO!
entre palos crucifi-
cados de la corriente!
todo perdido!
todo!
TODO!
!TODO PASO EN LA MISMA NOCHE¡
EN SUS OJOS TRAIA
LA AUNGUSTIA
DE LA MUERTE!

ANTE LA PUERTA DEL CEMENTERIO!
venía un hombre entónces!
ella ya sentada sobre el tronco de una árbol,
pálida y triste y cansada, y
él le dijo a ella:
que buscas   aquí?

A–LA–MUERTE!

se sentó junto a ella:
ándate a tu casa! éres todavía jóven, que tienes?
amor? engaño? tiénes los ríos azules en los ojos y el olor de los campos!
no es posible que vivas en la ciudad!
y ella con los cementerios sobre su
pecho:
amor? no tenía amor tadavía con nadie! no conocía la bondad!
hoy como la niebla cayó los callejones hincaron la rodilla ante los puertos, pero todo, todo era inútil! estoy enferma!

y tengo el olor de los ma-
rineros de las antorchas lacres, que me defloraron! mi cadáver está sobre la ciudad, y sobre los callejones y puertos! no tengo a nadie! el
hombre sencillo
en su vestido de trabajo ante la puerta del
CEMENTERIO!
yo soy un herrere! tenía que arreglar la puerta de hierro del cementerio
en la noche, la cerró y no voy abrirla nunca jamás! la niebla cayó, verdad! quién comprendería la vida? nadie! ven commigo me dijiste, no
conociste nunca la bondad! yó te la mostraré! creo que éres limpia! yo
te daré casa, donde puedas vivir y trabajar,
como vivo y trabajo yo tam-
bién! ya saldra esa espantosa noche, quién sabe para que vamos a des-
pertarnos mañana! se dice que tiene que cambiarse la vida!   hablan mucho! pero la bondad y la verdad tienen que vencer! ven conmigo!
y   con
mano en la mano se bajaron dejando a trás ellos la puerta cerrada del
cementerio!

7

Por el
     A M A N E C E R !
     L A   C I U D A D
     E L   P U E R T O
     L O S   C E R R O S
                    E N L A   N   E   L   !
                              I   B   A

                                                       los buques
anclados sobre la   ciudad! y repican   las   campanas todavía espantosamente!
              así llegaron ellos juntos hasta el rio!
                                        UN PUENTE!
                                                        sobre el rio!
        a dónde vamos? tengo   frío! la niebla! ved, aqui está un puente,
oye como repican las campanas!
                    en el puente!
                                        espera un suicida!

NOSOTROS SOMOS UNOS!

                    PALABRAS OLVIDADAS:
TU ERES MI VIDA
YO SOY TU MUERTE!
                    y el suicída:
                                alguien cerraba las puertas del ce-
menterio! quién comprederia el tumulto de la vida! quién? yo voy a
morir!
        ellos dos llegaron hasta las primeras casas de la ciudad ya,

     UNA AVENIDA!
     EL PUENTE SOBRE EL RIO,
     Y EL SUICIDA
              CON 3 LAMPARAS

              DE COLOR CAFE!
                              ellos   andan   a   travez   de
parques juntos en la niebla!
              YO ESTOY SENTADO
              SOBRE LAS CUPULAS
                              DE LAS CASAS
                              DE LA NOCHE!
        CON TODAS LAS TRAGEDIAS
                              DE LA VIDA
                              DE LA HUMANIDAD
                                                        los
puertos hincan la rodilla ante los callejones!

LA ANGUSTIA PASO!

ellos andan a travez de
una pesadilla lacre hácia las estrellas de café!

Ilustración del autor para el libro *Los muertos de la mañana*.

Los muertos de la mañana!

O. P. 93

1

ZSIGMOND REMENYIK

y la muerte
y la morgue
los cinco muertos
y al conventillo

presenta al

cojo panadero,

la hembra,

el médico,

los conventilleros

en

la
EPOPEYA III
OP.93

LOS MUERTOS DE LA MAÑANA
dirección artistical de

MARINETTI!

las decoraciones son de

MARC CHAGALL
KANDINSKI, y
ARCHIPENCO!

Las tragedias tienen que ocurrir en las calles públicas y abiertas.

los teatros están cerrados, porque el DRAMA salió de ellos, como resultaban pequeños y cerrados

con los techos y paredes,

hasta el que el DRAMA y el sol y las ciudades y campos y puertos son inseparables!

la TRAGEDIA está dentro de la vída activa, ocupa las calles y conventillos, y en esos escenarios terribles aparecen con sus vidas trágicas,

TODOS!

no hay diferencia entre actor y público!

los teatros son superfluos!

el DRAMA nace

crece, y

muere

dentro

de lo vida de las calles, fabricas, puertos y conventillos!

2

ANTE LOS HORNOS DE LA PANADERIA:

EL CUERPO DEL DIOS!

los techos de la panaderia suben hasta las estrellas y allá quedan colgados y clavados!

el pan caliente fluye de los hornos hirvientes por la calle pero allá los amontonan los empleados de la panaderia como colinas amarillas

poniendo encima de ellas una bandera negra!

el
panadero cojo tiene un cuerpo de sacos de harina, y la cabeza del panadero cojo es un pan batido con ojos de anis!

la gente de las calles pasa ante las colinas amarillas de la bandera negra,

vienen las mujeres de cinco tetas,

y vienen los trabajadores de la imprenta con las manos pintadas de color azul,

pero quedan parados por la esquina mirando las colinas amarillas de pan;

y viene la HEMBRA!

con pies de madera sobre las calles, con pelo de lino, flaca y alta con cabeza de caballo, con los dientes de una calavera!

con la luna de plomo bajo sus ojos

y con las avenidas iluminadas en su cinturon!

la hembra es la mujer del panadero cojo!
ella se sienta sobre las colinas amarillas de pan,

porque ella es la amante del dueño de la panadería tambien!

a la 1 de la mañana!

vienen,
con sus ruidos moribundos los trenes de la noche por la orilla dul mar!
y de los garages salen los maquinistas,

y ellos ocupan la otra esquina de la calle a frente de las colinas amarillas de pan!

entonces la hembra se pone una bufanda de paja encima sus hombros,

ya terminaba el turno del panadero cojo tambien!

y ellos juntos se van hasta el conventillo

"LA UNION"

en la noche bajo las estrellas de dulces,

y los
siguen las colinas amarillas de pan, atravesando las avenidas, calles y callejones!

la panaderia cierra sus ojos
y queda dormida!

3

EN EL CONVENTILLO
"LA UNION"
　　　　el conventillo tiene 3 pisos
　　　　　　　　53 chimeneas y
　　　　　　　　248 ventanas por la calle¡
　　aquí vive la PESTE!
　　　　　　aquí come y duerme en los catres
grazosos,
　　　　colgando sus banderas hediondas por la pared!
　　　　　　　　　　　　　　las escaleras
con lámparas grises sobre sus espaldas
　　　　　　　　　　suben hasta el techo,
　　　　　　　　　　　　　　el conven-
tillo es igual a un cementerio grande en la lluvia triste del otoño!
　　　　　　　　　　　　viene el
panadero cojo y
　　　　　la hembra,
los siguen las colinas amarillas de pan,
　　　　　　　　　　ellos entran por el conventillo,
　　una pieza!
　　　　prenden la luz!
　　　　　　las paredes abren sus estómagos,
　　　　　　　　y ahora la hembra:
　　　　　　　　　　　　tu eres
un animal! vivimos en la miseria! que estás esperando? ved las paredes,
aquí vive y duerme la peste! no me comprendes?
　　　　　　　　y él, con un gesto
silencioso,
　　　　en la profunda noche:
　　　　　　　Oye como respira toda la casa! y las
calles y el puerto también! oh ven para acá ¡hoy en la noche tenemos
luna llena! vamos a dormir?
　　　　　y la hembra con una sonrisa cruel:
　　　　　　　　　　quien quiere
dormir? quien? aquí duerme la peste no más? ya se acostó en tu cama
vete a dormir con ella cuando quieras ¡vete!
　　　　　　y el:
　　　　　　　ved las colinas amarillas
de pan! nos siguen con sus banderas negras y ahora nos esperan por la
calle! ellas me quieren siempre! que quieren¡ que quieren! y los miserables
ante la panadería ¡oh terrible es! terrible¡
　　　　　y ella:
　　　　　　　con la
sombra que llena el conventillo y las calles como una cortina oscura
　　　　　　　　　　sobre
nuestro corazón:
　　Oye!

tengo un pensamiento sobre mi vida, sobre la mía y nada más! tengo
33 años, la vida corre, tu llenas a todo el conventillo con tus ideas estúpi-
das sobre el pan, y sobre la luna, y otras tonterías! tu eres un animal!
 cuando sería posible, serías dos! eres el panadero del cuerpo de dios! todo
eso para reirse¡ ahora vamos a dormir! dormimos tres horas! y nos le-
vantamos a las 5! entonces te hablaré de una cosa, que tengo ya hace
siete días en mi cerebro!

4

A penas se acostaron bajo las velas azules de la miseria,

las paredes
abrieron sus estómagos, las entanas se cayeron por dentro de la pieza
y el techo se levantba hacia el cielo¡

y con gritos espantosos aparecieron
los habitantes del convetillo en sus trajes de noche,

entre   las
ruinas de las paredes y de las ventanas y puertas¡

y ella,

con sus tetas
sobre la cabeza del cojo:

que sucedió? qué? qué?

y ellos gritaban continuamente,
mostrando con las manos a ella:

la hembra¡ la hembra¡ la amante
la de toda la calle¡ ella¡ todas las noches como tu quedas dormido, ella se
vá¡ a donde se vá? duerme junto con tu amo¡ con el gordo de la panade-
ría¡ y se sienta sobre las colinas de pan¡ y nosotros¡ en la miseria¡ en la
miseria¡ por ella todos¡ todos por ella no más¡

y el cojo ante las ruinas de la
pared y de las ventanas y puertas a frente con los conventilleros:

callad vosotros¡ callad!

y
la hembra
con una risa espantosa sobre la cama,

y el tumulto gritando
entre las ruinas:

Nosotros lo oimos cuando te grita ¡animal¡ animal¡ en todas las
noches¡ la calle queda parada¡ te quiere ella matar¡ quiere ser libre¡ libre¡
ten cuidado¡ echa a ella a fuera¡ ella se sienta sobre las colinas de pan¡ te
siguen ellas, y cuando ellas te mata, nosotros moriremos de hambre¡
oh¡ oh¡ oh| tu no puedes dejár a eso| eche a fuera a ella| echala a fuera!

y él,|
agarrando la mano de la mujer:

oh oye que lo que gritan| entre las paredes| las ventanas y el techo
se caían| que es lo que gritan, oiste? oiste? || ? oh dime que no| que no|

y ella
tapapa con sus palmas las roturas de la pared y dijo:

Tranquilizate| ellos
son borrachos todos! y andan gritando puras mentiras! Ved, ya se acostaron a dormir otra vez! ven para acá y hable de tus lunas y colinas a-
marillas de pan, yo te voy a escuchar con toda atención| ya se retiraron
acostarse otra vez. Oyes las siete campanas de la ciudad? ya se pasó la
media noche también| toda la ciudad duerme| seas tranquilo¡ ellos son
los conquistadores del pan y por tu vida tienen miedo pero quien te quiere
matar? ya son   las 3 de la mañana| tenemos 2 horas para dormir no

más| ya salieron todos a dormir, ved| no te molestan las 7 campanas de la ciudad? cuando tu quieres yo le taparé con mis palmas las ventanas y las roturas de la pared también que puedas dormir tranquilamente! oh, que vida| oh, que vida| anda acostarte|

5

Los grandes carros silencioso del sueño salieron de sus ojos¡ el cojo
se despertó| había todavía profunda noche,

estaba solo entre las
ruinas de la pared, y de las ventanas y puertas, se levantó y con gritos
espantosos llamaba su mujer|

no la encontraba,

entonces temblando golpeaba
por le pnertas y paredes de todo el conventillo, despertando los habitantes con su grito espantoso en las pesadillas,

que salieron todo
de sus piezas,

como cadáveres verdes
de los cementerios|

les preguntaba:

No habeis visto a mi mujer?
los grandes carros cilenciosos salieron de mis ojos| a donde se fué ella?
quedé solo entre las ruinas de las paredes y de las ventanas y puertas|
cuando vosotros habeis retirado ella tapaba con sus palmas las roturas
de las ventanas que no me molesten las siete campanas de la ciudad en
el sueño¡ pero los grandes carros silenciosos salieron de mis ojos¡ a donde se fué ella? a donde?

y ellos abrieron
las ventanas de sus piezas,

y las puertas grandes del conventillo

y
como un coro trágico gritaban hacia el cojo:

a donde se fué ella? a
donde? cuando tu dormiste, ella abrió las puertas de la pesadilla, y salió
por la calle? a donde se fué| nosotros la hemos visto, ved, la peste están
sentada sobre la ciudad, la peste| LA PESTE| todos los barcos de la
bahia son infestados y ese conventillo tambien| a donde se fué ella? a
donde? ella tiene un amante de cinco ojos verdes, quien duerme en la
morgue| |EN LA MORGUE| para allá se fué| para allá| a su amante de
cinco ojos verdes se llaman lobo| LOBO| ya todos vamos a morir| la
peste esta sentada en las cumbres de los cerros: ved| y las calles| las ca-
lles parecen ataudes abiertos| ved| oh| oh| oh| vete para allá¡ por la
morgue| mátala, y vá a salir todo lo que sufrimos nosotros, y que sufre
tu tambien| por la morgue¡ por la MORGUE|

y el cojo abrió
las cañerías
de la tragedia|

4

Por la orilla del mar estaba
LA MORGUE|

en la morgue¡

el, cuando andaba por la calle, vió a la peste sobre la ciudad| y
por las cumbres de los cerros¡ como miraba a él| y, al conventillo, espe-
rando la mañana|

y vió que las colinas, de pan se descansaron dormidas en las calles ante los conventillos, para conquistarlos contra la muerte,

grandes lobos verdes vagaban por las calles en la noche, el cojo los
siguió,

no había nadie en los caminos, unicamente el dolor ocupaba los
cerebros y la peste que estaba sentada sobre la ciudad, con su pecho
arrebatado¡

le dijo.

tengo que matarla oh mi vida terrible¡ los hornos hirvientes de la
pan adría me siguen¡ la peste está sentada sobre la ciudad¡ lobos ver-
des andan vagando en la noche| y ella? y ella? y yo? y yo? toda la cin-
dad| la peste nos acerca con su pecho arrebatado| y en todo eso dentro
estamos nosotros los lobos¡ los lobos|

y ya llegaba
hasta
LA MORGUE¡
hasta la morgue¡

en sus orejas repicaban las palabras espantosas de los conventilleros: cuando tu dormiste ella abrió la puerta de la pesadilla y salió para la calle¡ todo los barcos de la bahía son infectados y el conventillo
tambien| ella tiene un amante de cinco ojos verdes quien duerme en la
morgue| matala y va a salir todo lo que sufrimos nosotros y que sufres
tu tambien|,,

golpeaba las puertas de la morgue| venía
el médico¡
EL MEDICO¡

con los anteojos grises, en su delantal
sangriento, y con guantes de goma¡

el cojo gritaba:

viene la peste¡ viene la peste¡ la peste¡
LA PESTE¡
que quieres?

y el cojo otra vez:

estoy buscando mi mujer| vivo en el
conventillo "LA UNION| quedé dormido en la noche| y cuando me des-
perté, ya se desapareció ella| me dijeron que ha venido para acá, por la
morgue| con su amante| con el lobo| con el LOBO| dejame entrar| ya
ved, viene la peste¡ la peste¡ no la ves?

y el médico abriendo las puertas
ante él, levantaba las cortinas oscnras de la noche encediendo la lámpara sobre los cadaveres de la morgue,

y le dijo a él:

ven a quien buscas?
la peste llega acercandose, ya viene, verdad¡ a quien buscas| toda la ciudad duerme pensaba que yo soy el único quien está despierto con mis problemas terribles de la humanidad, y de la mujer¡ entre¡ mi vida? entre los libros y cadaveres, ved¡ tenía una mujer no, salió por la calle ella tambien¡ la espero tadas las noches, ay¡ yo muerdo mis dedos, mi brazos del dolor, ay, me entiendes?| ya pensaba que ella viene, para llear mi vida con sus lágrimas inocentes otra vez, oh porque no viene¡ porque? entre| ven, porque tengo fiebre yo, y quien sabe yo seré el primero tal vez a quien abraza con sus brazos verdes la peste¡

3

Pero el cojo gritaba con brazos levantados por su
mujer
las calles se lavaron sus caras en las lágrimas de él,
entonces el
médico:
ved, ahora vamos a cerrar las puertas de la morgue y andamos
juntos a buscar a tu mujer| la vida es muy extraña, verdad¡ quien sabe
que lo que harías tu con ella, algunas tonterías tal vez, para que ella no
tenga valor¡ fijate, nosotros dos somos los conquistadores de la ciudad
en esta noche¡ ved, aquí tengo tres muertos ya puestos en la mesa, los
trajeron recien de los cerros, te voy hablar de ellos cuando se amanece¡
ponte mi sobretodo, yo tengo mejor salud| ven¡
y empezaron a andar por las calles
y avenidas;
llegaron hasta el puerto|
y
ante los BOLICHES¡ de la noche bajo los últimos rayos de la luna que
goteaba como la nieve| los llamaron las mujeres desde las mesas en la
profundidad|
entraron|
y el bolichero con sus dos manos cortadas como los aga-
rro:
que quereis?
ya todos estában borrachos| ellos dos quedaron pa-
rados entre los barriles hirviendos del alcohol¡ entonces vieron todas las
mujeres desnudas atras las cortinas de los locales separados| allá estaba
la mujer del cojo tambien|
ella asustándose gritaba, y el cojo sobre las mesas
con los brazos levantados del dolor:
mientras me llevaron los carros
grandes y silenciosos del sueño, tu me abandonaste me dejaste solo| la
peste viene, no ves? las calles todas me gritaron que eres una puta|
que eres una puta| te busqué ya en la morgue, y tu amante donde está?
te buscó en mi corazón, en mi cerebro, ved, viene la peste, viene la peste,
te perdono, ven conmigo no más, tengo sueño otra vez¡
y ella con una risa
espantosa sobre el miembro de su amante:
ay, tiene sueño, vete pues
a dormir| un animal, un cojo de quien se rie todo el mundo | quieres to-
mar algo| ved al cojo, al cojo, al animal| a dormir pues, a dormir|
y
el cojo como arrebataba el techo del boliche, en el pleno tumulto:
oh eres una
hembra la mas terrible de la tierra¡ las calles me gritan: mátala,
mátala| viene la peste, la peste| los hernos me esperan| y todo se paso
como un sueño de la noche| me dijiste a las 5 de la mañana te voy a des-
pertar, y te diré algo| son las 5 ya¡ que lo que me quisiste deciir? que co-
sa? que?

y la mujer,
    con su risa terrible
    hacía él
        te quise decir: yo soy de la calle¡ sigo las huellas de la noche| tengo cien amantes, y yo te voto, para que sirves tú? viene la peste? que venga| no tengo miedo de nadie| mi cuerpo es de las colinas y valles y mesetas, soy libre| libre| mi sangre es de puro olcohol| mi matriz cubre al cielo, como una alcoba oscura del deseo| soy libre¡ vete a tu conventillo, la peste viene| a tus hornos de pan¡ la ciudad ya está perdida¡ y está perdida la tierra, la vida, yo y tu también¡ ¡Vete¡

2

Ahora el llamó al médico y ellos dos salieron para la calle otra
vez¡ y el médico lo llevába hasta
LA MORGUE¡
y abriendo la puerta de
ella le dijo:
ved¡ ahora andamos junto con los problemas de la humanidad y
de la mujer¡ ella te dijo: la ciudad está perdida ya¡ mentira¡ mentira¡
hasta que los conquistadores estan despiertos, no está perdida nada|.
entonces golpearon las puertas de la morgue en la noche¡ la a-
brieron¡ entraron 4 hombres que traían un cadaver de una mujer sobre
sus hombros¡ le dijeron sencillamente:
la encontramos en la bahía| ya estaba
medio muerta, en un rincon donde duermen los albergues de la playa¡
nos dijo, yo voy a morir| viene la peste, pero no la esperaré¡ llevais mi
cadaver por la morgue, allá me espera mi hombre¡ decidle a él, que me
perdone| sufrí mucho y reconozco mi culpa, pero yo había sido bien cas-
tigada| ahora me purifiqué, y le voy a seguir con mi dolor y lagrimas y deseos
hasta la muerte| él era siempre puro y limpio el me comprenderá
perdonandome y me guardará en zu corazón y cerebro como yo lo guar-
do a él en mis deseos y pasiones¡ y así seremos felices y dichosos sobre
las colinas eternas de la muerte¡
ahora el médico con un gesto trágico,
se crucificaba sobre el cuerpo de la mujer| y los cuatro hombres con
las luces verdes de la angustia,
como decían
hacia él:
ved|
nos dijeron en el puerto que viene acercándonos la peste| verdad? ver-
dad? los cerros están en una niebla extraña y humeda, y su niebla ya
llegó bajándose hasta las primeras calles de la ciudad¡ oh dime, que vamos hacer cuando venga la peste? vamos a morir en la mañana? vamos
a morir?
y el médico:
id por las calles y encendeid las lámparas en todas las
casas y conventillos¡ por la mañana yo voy a salir tambien de aquí con
mi compañero para conquistar a vosotros contra la muerte| encendeid
todas las lámparas para que cuando la peste llegue hasta las avenidas
centrales tambien, veáis los caminos hasta las panaderías y hospitales
donde nosotros os esperamos!
los 4 hombres salieron temblEando
para avisar a los habitantes de los conventillos en las avenidas y en el
puerto, para que enciendan las lamparas antes que llegue la niebla de la
peste,
bajandose desde los cerros
hasta la ciudad|

1

Y el médico,

sobre el cadaver de su mujer hacia el cojo asía

oh

ved| ya estamos juntos! te ablé antes de mi mujer, ved, a quien esperaba yo desde años en todas las noches, preguntando de mi mismo siempre porque no viene ella? porqué? y hoy cuando la peste ocupaba los cerros de la ciudad, llegaba ella tambien| muerta¡ muerta|

y el cojo tambien

entre los cadaveres de la morgue:

la peste viene| la peste y mi mujer me abandono, me siguen las colinas amarillas de pan, que vamos hacer? que? que? yo tengo el mayor dolor en mi cerebro, puedo olvidarla jamás? oh nunca| nunca| me va seguir ella siempre ya¡ y una noche| y una no-che| como paso contigo hoy| llegará ellá muerta tambien¡

y se inclinó

profundamente emocionado,

y el médico ahora:

ved¡ la peste viene, tenemos que levantarnos para conquistar la ciudad contra ella, dejando los cadaveres y nuestros dolorosos problemas sobre la mujer a-quí| nosotros ya estamos juntos| tu quisiste matarla, muy mal lo hubie-ras hecho| porque nuestras mujeres pasadas nos diguen, sean ellas muer-tas o vivas, igual| tu mujer anda por las calles, tal vez borracha y en-ferma depues, pero llevando un recuerdo triste y trágico siempre en su corazón| la mía llegó esta noche| cansada la pobre, y muerta, de un rin-cón donde duermen los albergues de las playas: llevadme a la morgue¡ allá me espera mi hombre, decidle a él, que me perdone, se lo ruego, yo sufrí mucho, ahora me purificá en el sufrimiento y castigo, y le voy a se-guir con mi dolor y lágrimas y deseos por él, hasta su muerte¡ el era siempre puro y limpio| él me comprenderá, perdonarme, y me guardará en su corazón y serebro como yo le guardo a él en mis deseos y pasiones y así seremos felices y dichosos sobre las lolinas eternas de la muer-te|

y enseguida como se levanto,

abriendo las puertas

de la morgue;

ya les vieron

por las calles y avenidas y sobre los conventillos como pasaba con sus luces grices la peste|

le dijo:

ahora terminaban nuestros problemas de la mujer, el dolor se muere con nosotros| vamos por las calles, tu te vas a ocupar en las panaderias, abriendo las puertas ante los pobres y hambrientos| yo voy a ocupar| los hospitales, para conquistar contra la peste la ciudad| ahora cerramos la puerta de la morgue¡ ved, ya en-cendieron en los conventillos las lámparas| toda la ciudad se despertó y la peste ya anda por las calles| vamos¡

0

La peste ya ocupaba los conventillos, y puso su bandera oscura
sobre los boliches del puerto y sobre las calles y callejones de la ciudad
                              la gente rotosa y hambrienta
                              ocupaba ls avenidas,
                                        mujeres, -hombres-
                                                  en
una multitud trágica con las lámparas encendidas en la niebla ante las
panaderías y hospitales|
                    el cojo ante los hornos hirvientes con su cabe-
za, de pan batido con ojos de aniz, y con cuerpo de sacos de harina,
                                        y   el
médico en las puertas abiertas del hospital¡ sus manos parecían cuervos
oscuros y trágicos de la tristeza e infelicidad|
                              los boliches tem-
blando esperaron en el puerto|
                    la morgue se levantó y se sentó sobre la ciu-
dad¡
          y las colinas de pan,
          y los hospitales
                    empesaron andar por las calles
                         como conquistadores tristes e infelices
                         como cuervos oscuros y trágicos
                         hacia las luces grises
                              y apagadas
                                        de la
                                        peste¡

El fin del mundo llegará junto con mi muerte!

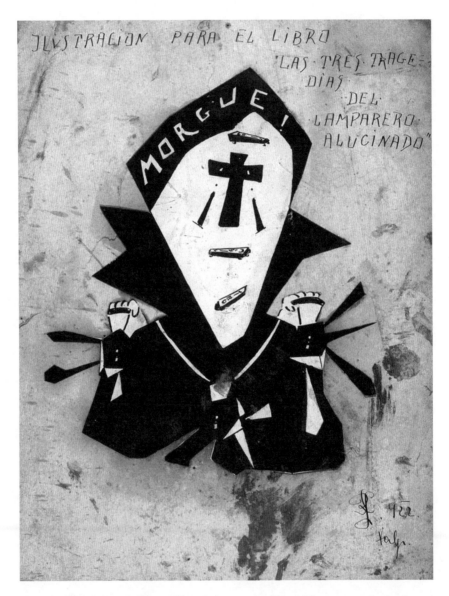

Ilustración del autor para el libro *Las tres tragedias del lamparero alucinado*.

CARTEL N° III

OP 94

La tentación de los asesinos!

1

Ahora se levantaron las serpientes otra vez en mi cerebro, despues que ya se alimentaron de mi corazón, para que salgan con mis gritos y voces extrañas a ocupar las selvas y campos vírgenes! Yo estoy muy seguro de los dolores que vendrán con la pérdida de las palabras y gestos y con la salida de las serpientes que yo tenía en mi sangre, porque yo sé que con las palabras y gestos pronunciados perdemos poco a poco la fuerza para vivir, llegando siempre más cerca por el hecho y la palabra a lo que cumplir y pronunciar nacimos del plan de la materia, lo que como cumplimos y pronunciamos llegará la muerte "cruel"!

2

Pero yo sonrío no más, mis gritos levantan las polleras de las mujeres, cono fueran las banderas de la vida! Oh arte, parece que fuera un jinete pálido y castrado al lado de la vida, que vivimos nosotros, con una sonrisa infeliz! Nosotros, que subimos por las cumbres, gritando la anarquía! sin ser fanáticos, porque despreciamos el fanatismo! Negamos la religión! porque no hemos visto al dios bueno, y sabemos que el dios nunca existió para la humanidad pobre e infeliz y cuando a veces se apareció nació de una cobardía desgraciada, lo que no conocemos nosotros, teniendo el valor! Tenemos un deber para con nosotros y para la humanidad: cambiar la vida, y purificarnos hasta que no reconozcamos la moral de la muerte, lo que puede levantarnos con un gesto feliz y dichoso hasta el suicidio!

3

Mis palabras primitivas en esta tierra donde no podía hablar yo bien, únicamente del amor y del dolor y de la miseria en que a veces me encontré, se pierden como me voy a perder una vez yo tambien! Porque tenía la naturaleza de los lobos, y la de los salvajes, gritando palabras, y levantando gestos, lo que no comprendió nadie! Llegué a saber sobre las colinas que toda lucha es inmoral lo que no es contra los animales y contra las gentes más primitivas, con las armas más sangrientas, en un tormento superior como lo hicieron las primeras criaturas humanas de esta tierra! En el principio era el hecho! y despues nació la palabra para matarlo como un miserable, cobardemente!

4

Yo nací con tentaciones terribles y con algunos vicios de la vida, para vivir, sufrir y despues perderme en ellos! Entiendo y comprendo todos los hechos de los revolucionarios criminales y amantes! tengo dentro de mí la tristeza de los aventureros y la alegría de los inocentes! En esta tierra donde yo amé, y sufrí, se levantaron unas tentaciones en mi cerebro, y yo siento que tengo que cumplirlas! Para la vida tienen derecho únicamente los valientes, sean ellos los del crímen o los del amor! Las tierras que yo recorrí ya me saludan, y los puertos y metrópolis futuros me llaman con sus gritos desde la profundidad! El beso de mi madre me manda para que yo pueda subir por las torres de la humanidad, y el beso de mi última mujer me llama con una dulzura mentirosa para quedar en los fosos de su matriz! Yo contesto para el grito de los puertos y metrópolis futuros, y salgo hacia ellos con las antorchas sangrientas, donde tengo que cumplir mi tentación con que nací de la voluntad de la materia y de la fuerza en una noche!

El año 1922, en Chile

CARTEL N° IV

OP 95

La angustia!

Nadie sabía mejor que nosotros que hay una [...] inseparable entre el arte y la vida, que parece ser capaz a separar a la humanidad de sus ideologías pasadas y humedas y pudridas levantandola hasta los horizontes más sanos de la naturaleza!

porque

el arte nue-

vo, el arte!

EL ARTE!

no conoce a nadie.

el es hijo salvaje y primitivo

de padres

neurastenicos, que no

habían tenido nunca la potencia a nacerlo un hijo sin tener la neurastima

EL ARTE

viene y que se va! gritando las palabras mas grotescas y brutáles sin temer a ruido de los siglos futuros!

y los siglos pasados se han muerto ya

EL ARTE

viene con su [...] recor-

tado y con su cuerpo que es igual de lo del dios y de la tierra y estrellas y viento y yerba,

su vestido el crimen,

y sus representantes

LOS ARTISTAS

tienen la

fuerza sustancial, sensual y espiritual!

HAY UNA MENTIRA!

y esa mentira sienta sobre todas las iglesias, colegios y occupa los puestos del congreso

la MENTIRA!

de la religión

y de la moral!

ellos son unica-

mente las armas más desgraciadas de la humanidad cobarde y in- feliz,

que no ha llegado a saber todavía

que se fuera de la RAZON, y

de la BONDAD,

no hay nada en esta tierra

que podría hacernos feliz!

Por eso teneis que buscár

                             entre las caidas huellas
                             de la cultura
                                  a estos […]

y ya seguidos […],

          que a ellas representan!

                                      el   arte   nue-
vo tiene sus raices en las estrellas, y se tapa con las gorras
rojas
      de la
           REVOLUCION!

                   entra por todas las calles de la ciudad
                   sube por todos barcos de la bahía,
                   y camina atravez de los campos y
montañas con su poncho […] en las noches!
     ante el arte no elite imposible!
     Wilde era muy maricon,

                pero tenía razon
                diciendolo:
                                  que la via copía al
arte! Nosotros estamos en la guardía!
     somos 777!

             y ocupamos las montañas
                 y puertos
                 y ciudades,
                            nuestro   arte   no   tapa
con su poncho […]! Somos los sanos del futuro! ya profe-
sando al imagen del dios y del hombre nuevo,
                  sin nuestros talleres

                      en los conventillos
                          cuarteles
                  y fábricas,

                                y   tapa-
mos con nuestro poncho […] las ciudades y campos contra los pen-
mientos „eternos",
          que se aparece en la forma de un viento […]
          y como vino,
              así tambien se irá!

LA RELIGION!
"   MORAL!   **MENTIRAS!**
                nosotros que somos los pillos y los rotos más falsantes
en la vida, tenemos
            un HONOR!!
                           leal y sano
                           bello y orgulloso
                                            en el <u>arte</u>!

LA FUERZA! del *genio*
                que tenemos y sentimos,
                como lo sienten y tienen

                                    la fuerza del cuerpo
                                  los atletas y salvajes,
no nos negamos, lo anunciamos con gritos invencibles entre
los campos y montañas!
                    no somos ruiseñores porteños
                    con cuerdas sobre nuestra espalda,
                                      estamos
crucificados en el tiempo y en el espacio!
                      somos HOMBRES
                                bellos,
                                fuertes,
                                vivos y
                                orgullosos,
y donde pasamos prendimos fuego las ciudades, y los campos pierden
su voz,
            nadie sabrá mejor que nosotros
                                que tenemos el poder a
cambiar la matería y el orden de la natutaleza! Somos los [...]
verdes y azules
                del sueño de los navegantes
                              que nos llevan hacia
una isla inexplotada y desconocida abrumadora
                          de donde podemos a dejar
a subir nuestros globos multicolores hacia el cielo!

Tenemos que decir gracias para

Lombrosio!

que nos des-
cubrio con la mas brutal creuldad,   que tenemos nuestras raizes ce-
rebrales en el crimen!

de mi parte yo reconosco mi genio del crimi-
nal, lo del asesino y salteador.

pero con el arte yo llegé
a purificarme
bajandome hacia el nivel
de un *aventurero*!
llegé a reconocer la esencia
rigorosa de la vida
en la AVENTURA!

Siento tambien una inquietud eterna en mi cerebro y sangre
y pienso levantar

una casa
para mí en el futuro

una casa de piedras lacres bajo del cielo vil

con letras y signos
verdes en su frente y con una bandera negra contra el viento!
y tendre mis puertas siempre abiertas

que vengan!

VENGAN!!

todos
en el día
y en la noche

los VIVOS!

que tienen las seña-

les en sus frentes del hombre sufrido
luchado
y al fin sin embargo

vencido!

Sabeis muy bien
que nostros gritamos
LA LUCHA
contra
vosotros. Tened miedo, y susto! Porque llegaremos con las
armas invencibles de las palabras y
lucha.
ocuparemos vuestros collegios y
museos y
academias,
y teatros,
y ha-
remos a pedazo vuestras
iglesias y
cementerios!
nos manifestamos
una lucha political y
artistical,
tenemos que luchar contra los vivos
debiles no más,
porque los nuestros sa-
len muertos ya,
los moribundos ván a morir,
y los vivos fuertes y
bravos
y crueles
son a *nuestro* lado
en *nuestras* trincheras
bajo nuestras banderas
a   que
sonríen las estrellas
el sol y
la luna, y la madre matería la abrasa
como sería su
hija fiel!

1922, 5 de setiembre, Valparaíso.

CARTEL Nº V
OP 96

Los muertos de la mañana
(1922. IX. 11.)

La naturaleza!
fábricás,
campos,
    ciudad!
    puertos!
      buques
        cementerios,
casas de mujeres,
la morgue.
    teatró,
    hippodromo,
    circo,
    coliseo,
      escuela,
      biblioteca,
      sotanos!
      palacio,
      járdin!
        un camino
        avenidas,
        panadería!
        callejones!
         conventilló!
el mar,
la playa,
    sala de juego!
    iglesia!
      son los poderes
      de mis palabras trágicas,
      la vida corre en una ligerosa
cinematográfica,
      acompanando por la orquesta
fenomenal del dolor!

      Naturalmente tengo
algunas ideas originales sobre la probelma
metafísíca de la risa tambien igualmente
una del llorar!
    el unico quien no me comprendio, encontrando una differencia enorme
entre mi arte y personaje!

entre el modo de mis pensamientos y vida,
era un frutero
frances!
?
en el sentimiento no tengo límites!
no puedo reconoscer la musa de los
tibios que parecen [...] una tetera comprada
en la agencia en el lugar de su corason!
odiar,
o
amar,   amar!
abrasar o
matar!
fecundar a la mujer,
o
ahogarla con mis lagrimas!
oh soy embustero!
falsante!
con nadie mejor que conmigo mismo! Soy
el hombre del corason quadrado

□

en el ca-
mino trágico del crimen, hasta donde yo
llegaría en mis dos manos verdes llevando la
antorcha lacre del sacrificio de los millones
enterrados!

No me importa que
muera todo el mundo, pero grito con una voz
espantosa hacia la revolucion y
la guerra!
odio la idea del pacifismo!
porque
pacifismo da la
tranquilidad,
y la muerte!
lo que
tengo la locura innegable en mi cerebro, lo
que pide al movimiento y la lucha eterna! La
humanidad!
hablar y preocuparnos con ella

sería
una falta de las dimensiones de mí! tengo mi
horizonte arrebatada en mis gustos y
en mis labios!
y a donde vivir

veo mis signos
señales
sobre todas las mañanas
sobre las chimeneas de las fabricas,
sobre todos los buques del mar,
y sobre todos los aeroplanes
y sobre todas
las torres amarillas de la tierra,
como me tapo
con una capa de la niebla gris, que no me
vea nadie.
sino hoiga mi voz todo el mundo,
no sabi-
endo que de donde viene ella,
que viene de las
iglesias o de los boliches, o de las casas de la
noche, o de los cuarteles, o de las morgues
viene ella!

Llegaré una
vez hasta el punto cuando yo diré
no es necesario el
arte!
voi a negar
la utilidad de la literatura! y mandaré
todos los literatos y artistas para la mierda!
vivir la vida es el
arte real! los cojos, ciegos, mudos y sordos y
otra junta de los miserables humanos
que no
sirven para nada pensaron a hacer una con-
currencia para la fuerza pura y cruda y salvaje, y invencible!
prefiero un boxeador negro
con su musculatura de
[...]
mil veces ante
que a un intellec-
tual!
reconosco un derecho!
el derecho de la fuerza!
el
derecho de la ciencia,
lo del arte, y
lo del pensamiento
no elite!
es una men-
tira universal, que se vá sin descubrido
y iluminado

con las luces
del incendio de las
ciudades que los hombres de la fuerza mate-
rial
con el derecho bruto y sagrado
prendieron fuego!

Siento el olor [...]
del arte antiguo,
y la imbecilidad de
lo del presente,
y veo las columnas monumentales
de lo del futuro!
vendrá un tiempo
cuando no
existirán artistas, ni arte! en el proximo
tiempo los boxeadores serán los poetas y
pintores y escultores sobre todas las
tendencias,
ya libradas del atavismo de la
imbecilidad!
las tragedias saldrán del teatro a
ocupar las calles y puertos, las líneas subirán
hasta las montañas y colinas y edificios, y los
colores ván a bajar de los horizontes levantes
del sol!
la música nascerá del andillo
de los ferias y del viento y del mar! Y el baile
como una fantasía macabra y gallarda,
bajo las siete estrellas del cielo,
mientras yo tendré en una
mano los siete peces de [...]
para repar-
tir entre los hambrientos, y en la otra siete
gotas de mi leche,
para [...]

CARTEL Nº VI
OP 97

Cartel especial y anexo
para los C. III, IV y V
Las 3 trag. del lamp. alucinado

1.

Ved, aquí viene el lamparero alucinado!
Yo soy el lamparero ese!
                    no   quiero   decir
sobre mí sino lo más esencial!
                              pero yo no
acabo las 20 líneas! y talvez el redingot de
esta *charge* me esta estrecho!
                    Cartel!
                              mis pies
estan en la tierra, pero yo me clavo el craneo
con las tachuelas de oro del decosado celeste!
mi cuerpo es un gran arco
                    que toca el violon
de la eternidad!
                    Tres profetas de la Biblia, con
aspectos de muyiks en […],
                              y los angelitos
del Paraíso, en galería,
                    escuchan el solo de mi vio-
lon, que yo ejecuto en el teatro de nuestra epoca!
          tengo un oficio transcendental!
          he sustituido los faroles de cochera
de la literatura ignorante y primitiva
en tierras salvajes y degenerados por multicolores lamparas vivas
                    de mi invencion!
                    no dire como
                    ni por que, sino
                              cuando?
yo los encontre a la vuelta de una esquina!
          toda mi literatura es así
                              […]
imprevista, toda di a la vuelta
de una esquina!
                    pegaban   en   las   calles
los carteles de la funcion   siempre poster-
gada de sus esperanza!

----

no había especta-
dores, y la taquilla estaba exámine!

ni
una hoya de cuatro dobleces, vagamente
aparecida a la cartera de un millonario
absurdo, habían tipografado algunos signos raros!

ayer no más, cuando la ciudad
estaba en oscuras, y ellos vagaban con linternas
sordas, y llaves maestras para abrir las
cajas de fondos de los cerebros!

en una otra
hoya mayor, donde la desesperación de las
cajistas arrojo letras diversas, como los niños
malos lanzan barro a los vidrios engrava-
vonados de un bar,

decían algunas palab-
ras agresivas! Pero todavía eran ingenuos
como escolares, unos escolares, que causan
ataque cerebral a sus profesores!

ya el oto-
ño había nevado en los mongítos y en
los cuellos finísimos! el viento, con su lá-
tigo hacía ensayar a las hojas las rondas
para el proximo *ballet* automnál!

y el sol
usa una lejana libra esterlina, supen-
dida en la niebla, desde cuando sin
duda un muchacho de
millonario la arrojo arriba jugando a´ las
„chapitas”.

Entonces llegé yo!

*el lamparero
alucinado!*

a colgar en sus divanes
y sotanos
y bancos telarañosos
las lamparas alucinantes de mi arte!

Valparaíso, 1922. IX. 17.

Fotografía de Zsigmond Remenyik (Lima: Salvador Cueva Ortiz).

LOS JUICIOS
DEL DIOS AGRÉLLA!

1.

las 11 de la noche! mucha niebla, sobre montáñás i máres, i lás estrellás se bajáron del ciéló! blende auf! entonces en la colónia inmensa i gran puertó V. en lás cercaniás de la Tierra del Fuégó la siguiente cosa extraña i admirable pasó:

una   tropa   de pescadóres rotósós, piojentós i sobre tódó muy suciós, i por si mismós confesádó en reuniónes publicós un pocó borráchos tambien, saliendó de unós salones i bordeles del Bajo Puertó, callejuélás oscurás atravéz hacia la már adelantában, con el propósitó de descansárse en sus casuchas! llegandó a la orilla, al ládó del vapóres silenciósós i grávemente pesádós á unás mujeres pobres i prostitutás dirigian todavia su palabra, peró se retenian en sus suciós deséos satisfechos, encendian sus pipás és seguian el caminó! bajó de lós depósitós i granérós silbába el vientó espantósamente! entonces llegáron hasta la már, perdida en la inmensa oscuridád!

unos tirós estalláron en el fondó! se oian gritós i la musica de negrós, desde lás tabernás! entonces veian acercárse desde la oscura már una barca usáda hacia ellós! de repente engrandecida sobre lás ólás, ante tódós ellós parecia un milágró, tantó más que tódás lás lanchas del puertó muy bien conocian!

el vientó se envigorosó, i en ese vientó i oscuridád la lancha alcansába la orilla del puertó! los fletéros borráchos i piojentós ya en el agua vadeában, listós para engarrár acostumbrádamente lás sógás i cuerdás, peró asustádós i alarmádós retrocedian,

en la barca yazia el cadáver de un viejecitó extráñó de barba i bigóte azul!

2.

entonces en el jardin zoologicó, al ládó norte de la ciudád, estalló un gran incendió entre misteriósás circunstanciás! el jardin zoológicó estába situádó entre rieles infinitás, en las cercaniás de la estación más grande del puertó! el aullidó de lás fierás se há podidó oir hasta en lás periferiás de la ciudád, lás campánás repicában espantósamente, los sucesos entonces precipitábanse sin podér detenérlós en sus caminós fatáles! en lás cásás bordeles i tabernás la musica se callába de repente! acercandose el dia de lós muertós, pequeñás vélás i de multicolóres se hán encendidó sobre lás tumbás arregládás, en el vestibuló del gran hotel de lujo de Pacific presentóse un inmensó tóró negró, para ocupár su habitación en el primer pisó, frente a la estátua del celébre viajéró e intranquiló burgés Odiseo!

el viejesitó extráñó tenia cabellós descoloridós, barba larga i descuidáda, sobre su cabéza, como se podian ver claramente, ardian llamas azules, i en cada mánó tenia una pipa apagáda i fria!

3.

lo que despues de todo eso sucedió, cosas confusás e inacceptábles, siendó sus explicaciónes completamente inutiles, nos limitámos puramente a la narración inperfecta de los fletérós borráchos i rotózós! segun esos hombres poco estudiádós i de baja intelligencia, cuandó el viejesitó de cabellós descoloridós en su lancha alcansába la tierra en el puertó V. todás lás lámparás de gás apagábanse en lás calles! unicamente lás llámás azules ardian encima de su cabéza, apagandose i perdiendose ellás tambien en la humeda niebla! para levantár el viejó de la lancha ninguno de lós fletérós tenia audacia!

entonces un homrecitó de bajó cuerpó i mal afeitádó, de vestidós rotozos, de bolsillós vistósamente llenós con papeles suciós, entre ellos completamente desconocidó, i con voz ronca les dijó:

– pareceis estupidós, borráchos o ciegós! no sabeis de que se trata aqui! ese individuo viejó es el dios, primeravez presentandose muerto delante de nosotros! el buen dios viejó, con su cabellós descoloridós, i barba desordenáda!

los fleteros i pescadores, aunque eran los pillos más listós del puertó, en el primero momentó no comprendian las palabrás del hombrecitó ese, que asi continuába su discursó en el vientó salvaje del már:

– en ese sigló hemos llegádó a las trasformaciones completas de la vida, i para esas trasformaciones radicáles nueva fé, i nuevo dios necesitámos! en el gran hotel de lujo

Pacific há llegádo un candidátó ya, el toró negró! para hacer orden entre lás confusiones humánás, limpiár el corazon i cerebró de los hombres de todás lás mentirás oscurás i de secundó grádó, todo eso será su deber! los nuevos profétás estan acercandose ya lás ciudádes i puertós en sus motóres! orquestás de jazz tocan en nuestrás iglésiás, los gigolós de nuestrás ideás serán los doctóres, beátós, ermitaños, i santos del futuró! en el studió del Rádió Universál hagó mis serviciós sistemáticós, por eso me enterába de lás cósas antes que nádie! las llámás azules sobre la cabeza del viejesitó ya desaparéciéron, se apagó su pipa tambien, que esperáis? mirad su lancha, la lleva el vientó otravez hacia lás oscurás máres! andad, e informáis a todó el mundó conforme a lás cosas vistas i oidás! sed constantes, crueles, i confiad en si mismó! en el casó contrárió todó lo que hémos creádó será enterrádó por aqua, niebla i oscuridád, sin podér cambiár su situacion hasta tiempos visibles!

4.

verdadéramente los pescadóres seguian lás palabrás roncas del empleádó de rádió, i salian por diversás partes para informár a todó el mundó conforme a lás cósás vistás i oidás! el cadáver del viejecitó con su pipás en su mános hacia lás máres oscurás llevába ya el vientó! en el jardin zoologicó los fieras bramában espantósamente,

el tóro negró há violádó al portéró del hotel Pacific, los vapores levában sus anclás bajó de la luna, i en esa noche el ciudadánó más ricó del puertó despojába un viejó matrimonió mendigó, en una de lás sálás de espera de la estacion del norte! les robába sus trapos i vestidós usádós, i en lás montañas lejánás huia con su botin!

ha sucedidó mucha cosa todavia, extraña i admiráble, pero contárla toda es completamente imposible!

pero imposible es callár de un cásó, de lo siguiente:

un timonel en el vapor de salitre llamádó Old Good Springfield, que vapor en realidád a entrega de mercanciás prohibidás era empleádó, i perteneció a una gran compañia internaciónál de comerciantes de niñas, fatálmente enamoróse de una prostituta, expedida en el dichó vapor! convenidó con la muchacha, llamáda Ruth S. Morand, una noche en un puertó desamparádó saliéron del buque! en ese puertó desamparádó ocultábanse durante algunos diás, i cuandó siguió su caminó en lás máres inmensás el vapor Old Good Springfield, ellós saliéron de sus escondrijó, i esforzábanse llegár a una otra ciudád, buscandó posibilidádes modestás para vivir! semánás horribles pasáron sobre ellos, hasta que Ruth S. Morand de modo secrétó e infáme reunia el dinéro necesário sin saberlo el timonel, con que al puerto V. podian llegar! Ruth S. Morand cambiába de su nombre a Lidia Mc. Lean, el timonel salia a viajes grandes i nuevás, en ese casó con el vapor de carga llamádó Orinocó, i durában meses hasta que volvia de su viajes! Lidia se dilató, sus ojos perdiéron su brilló, i la cára de poco a poco se puso pálida i de color de ceniza! entonces, en las noches angustiósás del puerto V. ...

5.

en el puertó entre tabernás, bordeles i salones de bajle amontonádos el negocio más conocido i considerable era uno de lás empresás magnificás de Eta G. tituládó La Morgue! esa taberna i casa de citás con linternás oscurás en la pared, en lás cercanias del muelle, mejor dicho, situáda entre la már i un cementérió cercánó, era digna de su nombre! cargadores negros, i marinos de naves extranjeros buscában La Morgue principálmente, en la compañia de mujeres recojidás de la calle!

estaba aqui una sala separáda tambien, reserváda para contrabandistás e individuos vigiládos por la policia, con una vieja mujer idiota al servicio de los parroquiános! sobre la puerta, cuando esa se abrió, en toda ocasion tocába un timbre! en el vientó todo el edificio temblába terriblemente, i durante tempestádes lás olas azotában lás rejás de lás ventánás con el vientó! de lás callejuélás cercánás angustiósos aullidós se podia oir! pero en estos nadie se fijo, todó se há perdido aqui en el vientó, en el ruido ronco del piáno electrico, i en el humo azuleádó!

6.

a los parroquiános más conocidos de La Morgue pertenecio el propietário de una agencia de entierró, José C.! en verdád, esta taberna era la mejor situáda, entre la már i el cementérió, principálmente para un hombre de entierrós!

una mesa separáda tenia

el al ládo de una oscura ventána de verjas, bajo de una lámpara oscura, donde

pacientemente fumába su cigárró en su vestidó negró, sobre la mesa delante de si

colocando su dos mános gordas, casi adornando la mesa descolorida con ellas!

ahora

una mujer flaca i oscura ha aparecidó en la profundidád, de cára descolorida i de

lábios pintádos, de ojos turbios, quedó paráda en la puerta como si hubiera buscádó

alguien! sonreia nerviosamente si un negro cargador la dirigia la palábra,

era una mujer

vagabunda de lás calles, de deseos inagotábles, con senas exteriores i fatáles de un

terrible destino en su ojos, esta era Lidia! ahora adelantába, tropezandó lás sillás en

cada momento, hasta que llegába a la mesa de un homrecitó bajo i silencioso, allá

quedó paráda, puso su dos mános sobre el respaldó de una silla, esprába un momentó i

se sentó!

– apenás encontré a Utd,

dijo nerviosamente mordiendo su lábios,

– apenas

le encontré!

– lo principál es que me encontró, eso es lo principál!

decia el carnicero,

cierto llamádó H. Cortéz,

– puede tomár ana copita de aguardiente, i despues vámos

al monte donde yo vivo! vea la luna sobre la már, ahora sále! pero si esta cansáda,

podémos quedár para toda la noche en la ciudád, en este sitio siempre hay alguna

cama vacia i desocupáda! su camisa la tiene un poco sucia, i tambien humeda del

sudor! con tal cabellos desordenádos donde andába? tras hombres vagába, cierto! salir

de una cama, i entrar a la otra, que barbaridád! con cual marinos sucios se junta, en

todas lás callejuelás la conocen, se enpiojenta, i recoge todás lás emfermedádes

ascosás, mientras que el timonel esta en lejános viajes! como arden su ojos, ladrónes,

asesinos, maridos enganádos son los amantes de Utd, la basura de lás calles es Utd. en

verdás, i la suerte de Utd. sin embargo me hace compadecer, pobre pobre muchácha,

con su deseos inagotábles, comparádo a que el agua de todos los mares es una

bagatela insignificante! emferma i loca es Utd! a donde llegará? que será de Utd.

todavia? será una asesina, o una prostituta asesináda! que extrana es la suerte de Utds.
la de los hombres i mujeres extranjerás, extrana i fatal! son parecidos a los marinos
lejános, que toman, son piojentos i rotosos, pero la misma lláma arde en los ojos de
todos ellos, la lláma de la angustia! la de la angustia i del destino, en verdád! la de la
angustia, del destino i de la misericordia, la miráda de los torpes, de los impotentes i
la de los desamparádos tienen en los ojos, de donde vienen estos hombres Lidia? sin
embargo sabémos, que no hay misericordia!

7.

otra copa de aguardiente tomában despues, i no obstante que el ruido era muy grande
en la taberna, el piáno sonába roncamente, i el vientó silbába de la már, el propietário
de la agencia de entierró José C. que de ellos a la secunda mesa estába sentádo,
cláramente pidia oir cada palabra de ellos! la muchacha cubrio su cára con lás mános
entonces, secába el sudor de su frente con su mános largos i cansádos, i mirába
silenciosamente con ojos tiesos! como a frente de la ventána estába sentádo, la luna
alumbrába su cára!

ahora asi hablába el carnicero H. Cortéz, de nuevo:

– la suerte
de Utds. es más que terrible! vos andan vagandó, i en sus extrana vida llegan a
conocer todo lo que en realidád importante es en el sufrimientó, en la miséria i en la
tristéza! que es lo que vos conduce hacia desconocidás tierrás lejánás, en tumultos
monstruosos, en barcas misérias e inmensás, digame! llegan, i se esconden en
almacenes desamparádáds, los hombres se ván a trabajár a edificios, lás mujeres,
aunque son rotosás i cansádás, en la noche andan por lás tabernás en busca de algun
dinéro! el timonel esta en lejános viajes! muchas suertes horrorosas corren delante de
nosotros, i si alguien presta atencion a la observacion de ellás, puede ser testigo de
casos espantosos!

hán tomádó de nuevo, buques bramában largamente en el puertó,
entonces H. Cortéz asi há continuádó:

– podria hablár yo de tragediás individuáles, de
llegáda de hombres rotosos y de la perdida de ellos, del paracer de familiás, de la
caida de mucháchás jovenes, que se acába en bordeles con emfermedádes ascosás i

con muerte, pero en lugár de todos estos vos diré una cosa más terrible, mejor dicho para mi mismo lo diré, porque vos de todo esto debe ser enteráda! una prostituta canadiense! el timonel esta en lejánós viajes! su nave, dirigida por el norte, salvájemente azotea el vientó! vos quieró hablár del asolár de unos cientós de hombres, que resolviéron confiár su vida a una tropa de contrabandistás de alcohol, que en un vapor viejo a los Estádos Unidos puedan secrétamente llegár! lo repito, se trató de un pár de cientós de hombres de distinta nacionalidád, de viejos i de jovenes, de sános i de emfermos, de mujeres i de hombres, que uno a otro talvez ni conocieron! cuandó de oscureció, i el buque andába el el már oscuro con una pequena lámpara en la pópa, el capitán reunia a todos, i les enterába con ajuda de interprete, que acercandose a lás orillás, donde en cada momentó con guardiás de lanchas motores pueden encontrárse, en interes de la empresa comun se ve obligádó hacer algunás precauciones necesáriás! los infelices en todo consienten! entonces encadenan a todos, i les encierran en el fondó del buque! encerrádás lás puertás sobre ellos con varas de fierró, se abre el fondó del buque, i la gente encadenáda con un horrible gemir se ahoga en el már! el buque se vá adelante, el capitán con la tripulación todavia en la misma noche divide la ganancia, llegan a un puertó, i ocupan los bordeles i tabernás con la risa salvaje de los fierás! en esta vida no hay misericordia!

8.

ahora una tropa de negros sucios entrába en la compania de mujeres descoloridás! en el puertó i en lás calles el vientó silbába salvajemente, la campanilla sobre la puerta siempre sonába, llamandó la atencion a la llegáda de nuevos parroquiános! H. Cortéz tomába de nuevo, i pusó su mános sobre lás mános de Lidia silenciosamente, que con mucha tristéza en los ojos estába sentada al frente de la luna!

　　　　　　　　　　　　　　　　　　　　　– que te pása Lidia Mc.
Lean, que te pása? tienes tu cára completamente de color de cenisa, que pensamientos te ocupan? alguna emfermedád oscosa hás recojidó talvéz, o en algunos campos humedos i lejános estas vagandó en tu pensamiento! ahi tienes aguardiente, toma! el timonel anda en lajános viajes, en sendérás insegurás i desconocidás! probáblemente vos quereis mucho, que a tanto sois capázes uno por otro! Lidia que te pása?

                                                    – no lo
sé,

    decia Lidia sielnciosamente,

                    – no lo sé, que me pása! no puedo descansár, soy
confusa i andó vagandó por lás caleejuelas más suciás! entró a cada taberna, me pintó
en lás noches, i no pása ninguna de mis noches sin que me juntaria con dos, tres de los
tipos del puertó! en la madrugáda cuentó mi pláta en lás calles, sudó, i mi cuartó es
miseráble! estoy sentáda bajo de una lámpara oscura, i en mi cára corren lás lágrimás!

                                                            to–
mában otravéz, entonces H. Cortéz secandó su bigóte humedo, asi hablába
roncamente:

                    – todos sois unos miserábles, sois roncos i temerosos! te lo confiesó, en
realidád todos somos miserábles, i no lo pienses, que alguna gran importancia atribuio
a mi profesion, o a la profesion de mis vecinos, de que el uno es lechero, i panadéro el
otro! siento una confusion horrorósa sobre todos los sucesos! sois roncos, i vuestras
palábrás absurdás profundidádes extránás tienen! quien es tu amante más extráno?

                                                                    Lidia
se reia roncamente, i echába su aguardiente al suelo!

                                – mi amante más extráno es un
joven, llamádo Agrélla, que es un poéta i anarcista, se rie siempre i anda muy mál
afeitádó! en ciertós cásos le ayudo con poco dinéro, si en lás cocineriás ya no tiene
crédito! anda hambrientó, i toene frio siempre! su vestido es completamente rotoso, i
se acostumbra lavár su camisa en el már!

                                i ella se reia mudamente, con dos lágrimás en
su ojos, perdidos en su cára descolorida i flaca!

9.

un viejo alto i tieso entrába entonces a la taberna, sus pasos dirigia directamente al
fogon, i se sentó al ládo de ello para calentárse! Eta G. le mirába secrétamente de la
profundidád! el viejo siendó probáblemente extranjéro en el puertó, a nadie saludába,
se sentó en una silla baja al ládó del fogón, i encendio su cigarilló! ni su pequéna

gorra descolorida quitába, su anteojos pusó más arriba solamente, i echába el humo con mucha calma!

— soy completamente confusa,

decia entonces Lidia de nuevo,

— en vano gano mi vida entre miserábles circunstanciás, desde mi ninez, me sientó muy torpe! creemelo, torpes somos todás, torpes i muy solitáriás! muchos ni comprenden nuestra soledád! unicamente ven nuestra vida deshonesta, i que siempre tomámos i vagámos borráchás por la calle! ahi esta la luna, suspendida sobre el már! seguramente soy muy pálida de su luz!

ahora pusó más cerca su silla a la mésa, i levantó su ronca voz:

— mireme Cortéz, ahi esta delante de ti toda mi vida deshonesta! como luce la luna alumbrandome, tengo mi sangre terriblemente envenenáda, seria lo mejor escondérme en un canál profundó, donde me sentiria bien, como en casa! te puedo decirlo, que de la vida muy pocos hombres sáben algó, i ellos tambien muy poco! en verdád, la miráda de la angustia tienen el los ojos, la miráda de la angustia, la de la misericordia i del destinó! la de los torpes, de los impotentes i de los solitários! los hombres andan vagandó sobre la tierra, trabajan, piensan i se quieren, i todo esto confusamente por completo, sin tener sentidó alguno! te pregunto ahora, referiendose a todos nosotros, que de donde somos? que quereémos, porque vagámos, pensámos i querémos! en realidád, porqué?

— el timonel anda en lejános viajes!

decia H. Cortéz,

— i probáblemente la luna alumbra a él tambien! mucháchás roncás vágan por lás calles, naves se ván i vienen, unás a Canadá, otrás a Bombay o a Liverpool, naves carbonérás, cargádás i vaciás, ten cuidádó! le ves a este viejo tieso al ládó del fogón, que extráno es! hoy en la manána entró a mi tienda, acompanádó por un perro inmesó, i comprába carne por unos reáles! hémos conversádó, habla en vários idiomás, i me decia que anda por el mundó a pies! anda sin maletás, viaja grátis por veleros i vapores de carga, i en todás partes se encarga de pequenos trabajos para ganárse un pocó de dinéro! siempre silba, i se ve que piensa profundamente! en tabernás duerme al ládó de los fogónes en lás ciudádes, rotoso esta, pero posiblemente un hombre muy culto es! que cosa tan extrána! dejandó lás ciudádes anda por la orilla del már, i se descansa bajo de grandes árboles, continua su camino otravez, i piensa profundamente! quien sábe, sobre que cosás piensa? su perro corre tras de el, les alumbra la luna, que es el i de donde, quien sábe! que vida, que vida! a donde se vá?

silba siempre, i andandó por la orilla del már talvéz canta también! ahora como entrába silenciosamente, a nadie hablába i se sentó calentárse al ládó del fogón! que es esto por Dios! locura es este, o realidád es, Dios nos ayude en nuestros errores!

10.

era despues de la média noche, La Morgue se llenó, el piáno electricó sonába en alta voz, i gran vientó heládó silbába por la puera abierta! Lidia ajustába el cuello de su vestidó delgádó, arreglába . su sombréró descoloridó en su cabéza, i sonreia amargamente!

      – el timonel anda en lejános viajes,

                repetia silenciosamente,

                    – i la luna le

alumbra posiblemente! oh cuantó significan estas palabrás! pagame otra copa de aguardiente todavia, porque quiero irme a casa! estoy fatigáda, muy fatigáda no sé porqué! ahora ni dos reáles valria mi querer! hasta que llego a mi cása, me cansaré completamente! en los cerros vivo en una gran cása, al otro ládó del puertó, en un pequeno cuartó miseráble! muchas vivimos allá, gentes pobres todás, amontonádás como cachorrós! en el techo tambien viven todavia en una cabana pequena, albaniles de edificios! parece esta cása a un veléro inmenso con sábanás i camisas tendidás sobre el técho! viene el vientó, i la lléva hacia grandes máres, con nuestros suspiros agotádos, i con nuestrás noches sin sueno en lás cámás impurás!

                    – que me espéra en

esta vida todavia?

      preguntába de nuevo,

                – a donde llegámos todavia?

hé andádó a tantás tierrás, sufri i hé sidó humilláda, hé llegádo conocér a tantás cosás oscosás, sin embargó no creo que mis sufrimientós i torturas hubieran terminádó! los vagabundós, prostitutás, i miserábles en toda forma i siemore se conocen uno a otro! tengó un hermánó tambien, hacen muchos ános que há salidó al mundó, ya ni esta en vida talvéz! a veces aparece en mis suenos, en una isla entre muchos vagabundós i homres rotozos, i me amenaza con su dédó! porque me amenaza con su dédó, me preguntó siempre! que cosa hé cometidó yo contra el! si el conociera mi vida, mis amores, i mis deseos inagotábles, no me amenazaria seguramente, pero me abrazaria i me ayudaria, me llevaria consigó a la isla donde vive, para dárme un rincon en su cabána lejos de aqui! en este puerto entre tal circunstanciás i deseos terribles perderme puedo solamente!

– este silencio es insoportáble!

decia de nuevo,

– me voy a mi casa! pagame otra copa de aguardiente todavia, i dame algunás pesétás, si quieres! en breve te lo seviré, pero te lo confiesó, estoy juntandó la pláta con algun propositó! con mucho trabajo, con vergüenza, con abnegacion i con muchas injurias, pero estoy juntandola! para los gastos de un viaje, para un viaje largó e infinitó estoy juntandola! la médianoche ya pasó, tengó que irme! dios te ayude!

todavia tomába su aguardiente, i como salió a fuera, su miráda se há encontrádó con la miráda del viejó altó i tieso, como el al ládó del fogon en una silla baja estába sentádó! en todás partes muchos durmian, detrás del mostrador sentába Eta G. con un hombre gordó al ládó de su musló! en el gran humó de la taberna dos tipos al servicio nadában, como en los banos del vapor! en la profundidád naves descargában, iluminádás completamente! bajo de la luna lucia el cementérió al ládó de lás colinás! cuandó Lidia salia del bár, fuera en la calle la olia un perró inmensó, despues con ronca tos el animál se retirába a la sombra, por bajo de unos cajónes amontonádós!

11.

entonces H. Cortéz i el propietárió de la agencia del entierró José C. quedában solos al ládó de sus mesás, lejos uno del otro, humedos i sudorosos como tiburones! el piáno sonába insoportáblemente, todo el medio se engrandeció, se anchó, velás hinchábanse sobre lás mesás, i olás azoteában lás ventánás terriblemente en el vientó! una mujer gorda i vieja sentábase a la mésa del carnicéró, pero venian despues otrás más tambien, sentábanse tambien, i pedian vino para tomár! sobre el puertó en altura invisible estába la luna ya, entre lás millónes estrellás del cieló!

ahora el viejó alto i tieso se levantó de su silla al ládó del fogón, pagó su vinó, i de pásos inseguros i cansádos salió! su perró aparecia en lás sombrás inmensás debajó de los cajones con ronca tos, i seguia sus pásós! entre lós depozitós grandes se paró el vientó, desde todos ládos tipos sucios bamboleában de lás tabernás, para perderse en lás sombrás inmensás despues!

desde todos ládos sonába la musica, aqui estában situádós los báres, llamádos Red Stár, Acropolis, El Fáró, i Torpedérás, iluminádos vistosamente! el viejó andába sin podér orientárse entre lás encrucijádás de lás calles, silbandó, seguido por su perro emfermó! alguien cantába en alta voz, i muy muy dolorosamente, autós gaitában en el fondó, i desde lás callejuélás angostás aullidós espantosos eran oidós,

i desde lás colinás, que abrazában toda la ciudád, ojos admiráblemente ardientes mirában hacia el puertó, con llámás de fanatizmó!

los ojos de los ladrones eran estos, llenos con bondád i con perdonár, en uno de los ojos un cuchilló, en el otro la media luna con lás siete estrellás llevandó cada unó de ellos!

12.

en los locáles de la taberna tituláda La Morgue un hombre joven apareció ahora, con bufanda de séda en el cuelló, vestidó de negró, i quedába parádó en el médió de la sála! se puede decir, su presencia parecia bastante extravagante en este medio, que exclusivamente marinéros, lancheros i cargadóres vizitában fuera de algunás prostitutás i contrabandistás temerários! Eta G. enseguida se levantó, asentandó a su sitió el hombrecitó gordó, i acercandose al joven con una sonrisa admirable en su lábios!

– con que puedo servirle?

preguntába al joven, febrilmente lamendó su lábios, como agitáda se paró al ládó de el!

– estoy buscandó al senor propietárió de la agencia del entierró José C., segun mi conocimientó en todás lás noches pára aqui, hablár quieró con el, si se puede!

decia el jóven, i quitába su sombréró, ensenandó su cabellos canosos, i su frente milagrósamente triste, que hasta ahora cubria el sombréró! i enseguida prendia a un cigarilló cortó, apoyandose liviánamente en una mesa al ládó del fogón! Eta G. ensenába por lás grandes nieblás, hacia una mesa lejána, don- estába sentádó solo José C. entre botéllás vacias de cerveza, como un idolo en lás mazétás!

– ahí esta sentádó, solo, con sombréró oscuró en la cabéza, este es José C. el propietárió de la agencia de entierrós! bajo es el, i astmáticó, en su brázó con la cinta del lutó eternó! pero no me parece este lugár lo más conveniente si se tráta de un cásó funerál!

– decia Eta G. i profundamente mirába en los ojos del joven!

– no se tráta de cásós funeráles,

contestába el jóven,

– aunque mi vida propia i los médios miserábles entre los que vivo parecen verdadéramente cásos funeráles! se tráta de completamente otra cosa, busco tabajo! le agradesco mucho su servicios senora,

i se inclinó, retirandose, perdiendose poco a poco en la niebla, que lás mésás i toda la sála completamente cubria!

13.

Eta G. regresába a su sitió, el jóven entonces há llegádó ya a la mésa del dueno de la agencia de entierros José C. de la mésa más lejos situáda ahora se levantó H. Cortéz, i en la compania de algunás mucháchás suciás há salidó de la taberna! un mozo cansádó tambien nadába ahora al ládó de ellos, vestidó de saco blanco, como un libertador! el jóven entonces bajo de lás velás tendidás volviendose al dueno de la agencia de entierros, asi hablába:

　　　　　　　　　　– mi nombre es J. Mc. Kennedy, soy bailarin del Bár Pacifico! le ruego por su indulgencia, para poder molestárle aqui en un tiempó tan adelántádó! hace tiempó que estoy buscandó la ocasion de hablár con Utd, i pedir su ayuda en una cosa de importancia, de importancia por lo ménos para mi! estoy en busca de trabajó!

　　　　　　　　i su triste cabéza canosa bajába en su mános, el dueno de la agencia de entierro le miró tranquilamente, i le preguntó:

　　　　　　　　　　– quiere tomár algó amigó?

　　　　　　　　　　　　el bailarin há pedidó una copa de aguardiente, ahora otra tropa de marinos entrában a la taberna en la compania de sus amantes, fuera el vientó silbába, i en gran altura estába la luna sobre el már!

　　　　　　　　ahora J. Mc. Kennedy secába su lábios en su panuéló, tartamudeába roncamente un pocó, incoherentemente, i confusó, pero despues que su voz se tranquilizó, más o menos lás siguientes cosás decia:

　　　　　　　　　　– soy bailarin del Bár Pacifico, i hé pasádó toda mi vida desde mi ninez entre mujeres, casas de noche, despues en lás cercaniás de danzing halls iluminádós! pero hé pensádó mucho siempre, me hán humilládó los hombres i lás circunstanciás, i me cansé en lás humillaciones i en los pensamientos! la confusion humána me pisó con toda su infámia! lo confiesó, tengo conocimientó de la necesidád de la formacion de una nueva vida humána, que es limpia, i lejos esta de todás infámiás! no lejos de los sufrimientos i de los dolores, porque el dolor i el sufrimientó son los piláres inmensás de la vida humána! durante largás noches, cuandó con amantes diversás me descansé en lás cámás média tendidás, siempre siempre hé pensádó, como seria posible llevár mi vida más cerca a la puréza! muchás veces me alumbrába la luna en lás noches, mi amante como un cadáver yacia a mi ládó, cansáda i descolorida, sin sentiendó algó! todás me parecian extránás, extránás i ascosás, aunque eran hermósás bajo la luna colgáda en los árboles! que me pása dios mio, que me pása? indudáblemente estoy confundidó, ya fui emfermo tambien, i cuandó en el espejo miró, veo arder velás amarillás en mi ojos! asi há sidó, que me resolvia para buscárle a Utd, dejár mi empleo de bailarin, i entrár en la emprésa de Utd. como lavador de cadáveres! i todó esto hago para dár un color más serio i trágicó para mi vida miseráble, que quiero limpiár, eliminandó de ella la humillacion, i todó el asco de la suciedád!

14.

– lo confiesó de nuevo, que estoy confundidó completamente, no obstante que fatál i cláramente veo lás cosás,

        decia el bailarin,

                – i vélás amarillás i verdes arden en mi ojos, la de la perdicion i de la locura! hé vivido una vida completamente extrána, tal vida, depues cual hombres de conciencia entre ciertás circunstanciás a la orden de monjes o ermitános entrarian! hé tenidó un amigó, que restableciendose de la emfermedád de tisis salió por léjos, andába por la orilla de los máres, i de la India escribia cartás exrtánás, há sidó mágico de santa vida, i vive en el circuló inmediátó de Ghandi! yo mismo no puedo seguir su ejempló, por lás mismás ciertás circunstanciás, que me todavia retienen! sin embargó, queriendó cambiár algó de mi vida, en estás noches fébriles, cuandó comletamente trastornádó fijábame en el alientó porfundó de mi amantes, i a mi ládó yacia fuera de mi amante ocasional el ascó, el horror i la angustia, no sabia que tengó que hacér! cási hé estádó ya en el puntó del suicidió, i resolvia para asolárme! desde mi ninez me gustában los cementérios, lás iglésiás i lás morgues misticas, sin que hubiera queridó hacér cultó de los muertos! hé amádó los perros, lás bestiás, lás vácás i establós, en realidád entre ellos hé vivdó toda mi vida, entre muertos, perros i bestiás salvájes en los danzing halls iluminádós! entonces estába acercandose a mi la calma, en una cáma grande i desordenáda, al amanecer, me recuerdó a frente un espejo estába, fuera suavemente amanecia, i entonces en el espejo aparecia el imágen de mi amante querida, que me siempre seguia secrétamente en mi suenos, i que ya hacen tiempos esta muerta! tras de ella aparecian el cementério i la morgue, i me há hécho sena, para que sigua sus pásos! entonces me levanté, i segui su pásos, hé llegádó hasta el már, i hé pensádó mucho allá, veia perros i bastiás dulces, i sobre tódó veia el már debajo vélás blancás i azules! este es la história de mi convertimientó!

15.

– otras más circunstanciás tambien me constrenian para cambiár fundamentálmente lás raizes de mi vida,

continuába el bailarin, i prendia un pequeno cigarrillo nuevamente, ambos en el gran humo estában sentádós perdiendose como naves en la niebla, el propietário de agencia de entierros con el sombréro puesto, i con la cinta eterna de luto en el brázó, correspondiente a su profesion!

– contaré algunás históriás de la vida de algunos amigós, que por una parte hé oido, por otra parte siendó testigó de ellás, hé estádó en posicion de perde mi fé en ciertós juicios de la pasáda ideologia! milagrósamente, que tál cosás santás estan en la vida, cosás santás i de realidád, que a pesár de toda imfámia i viléz santás son, i muy conmovedóres! un amigó de vida de tál mi,riás me há contádó, de su tiempó de gran vagabundó i totálmente rotoso, cuandó en puertos lejános vagába, desde semánás sin trabajo i alojamiento ya, ni zapátos tenia, i el hambre difuso le há quitádó completamente de lás pies! vagába por las estaciones, cargandó cajoneso llevandó bultos, pertenecidos a aldeános provinciáles, sudandó i por un pár de cents! asi vivia miseráblemente de un dia al otro, esperandó por desperdicios a lás puertás de atrás de grandes hoteles! a veces salia a la ciudád, i se sentába en bacos en lás plazas entre ninos, i lás mujeres mirába! hablárlás no se atrevió, porque era androjosos completamente, i todo su pensamientó se dirigia para alguna comida consegir! como hé dicho, desde algunás noches ya ni há dormidó, porque los guardiás le arrojában de lás plazás donde queria descansárse, otravez vagába por lás calles en vientó i en lluvia, a veces hasta se sentába en el médio de la calle, o se acostába entre los rieles, porque a estas horás tramvias ya no andában! asi há llegádó al barrio de los bordeles, aqui tambien se sentába a la tierra, su gorra puesta bajo de su cabeza, i se acostaba por la calle! entonces se abrió una puerta en el fondó, una mujer acompanába su amante de la cása, el amante se há idó, entonces mi amigó se levantó pesádamente, i se acercába a la mujer como un perró! como un perro, asi lo digo, con su propiás palábrás! la mujer por un momentó se quedó paráda, i examinába a mi amigó! "entra a mi cása papacitó!" decia la nina, i riendose abrio la puerta! "no puedó entrár a tu cása, porque no tengó dinéró," decia mi amigó, "por lo demás soy debil tambien, hacen dias que no hé comído, i duermó en lás calles, en el sentidó de la palabra en lás calles!" i se apoyaba en una vara de fierró al ládó de la puerta, para no caerse por la debilidád! la mujer le miró, i prevenian su lágrimás ardientes! "eres muy semejante a un queridó amante pasádó de mi juventud," decia, i lás lágrimás corrian por su cára, "ven conmigó, te doy alojamientó para esta noche, i un poco para comer!" entrában a la cása, la mujer secába su lágrimás, há dádó comér a mi amigó, vivia en la compania de una amiga en toda la pequena cása, le lleváron al cuartó de báno, i le hán dádó ropa limpia! la pobre nina durante siempre llorába, arreglában la sofá que estába en el vestibuló, i hán dejádó que mi amigó allá duerma! por la manana cuandó se despertó, queria trabajár algó por tanta bondád! no le dejáron, le hán dádó comér de nuevo, i en su máno hán puestó alguna pláta! "porque hás héchó esto conmigó?" preguntábala mi amigó! "tenia yo un amante muy queridó, a quien hé estádó yo muy mála, i con esto le causába grande i profunda triztésa! ahora como el ya no está aqui, i quien sábe que suerte terrible tiene, a pesár de que era muy bueno el pobre, i nunca se quejába! se há idó solamente, i asi a ti quieró ayudárte con poca plata i alojamientó, quiero remediár todás mis faltás con que yo contra el pecába! vayate ahora, i acuerdate carinosamente a nosotrás, que nuestra vida despreciáda i ascosa solamente seguimos para poder limpiárnos en los sufrimientos de nuestrás noches terribles!" me hán acompanádó hasta el rio, desde donde un vaporcito salia por todás lás noches, mi amigó se inclinába delante ellás profundamente, i cuandó partio el vaporcitó en el rio por arriba, há vistó desde léjos todavia como lás mujeres le hán héchó sena con su panuélos!

16.

el dueno de la agencia de entierros sacába el cigárro inmensó de su boca, tomába, i se há perdidó en la niebla otravéz, como una estátua eterna e inmovil en lás mazétás! la luna milagrósamente lucia sobre el már, los cargadores i marinos lejános hán salidó ya, i el vientó tambien se calmába! el agua por la orrilla há sidó ahora oscura como la pez, i pesáda como el plomo! los ojos cansádós se hán cerrádó i hán desaparecidó del ládó de los cerros, la noche estaba para terminár! entonces B. Mc. Kennedy en su voz roma y ronca asi lo siguió:

         – hay todavia muchas historiás salvájes, tal historiás de pobres mucháchás málás i de vagabundos de vida miseráble, que evidentemente dirigen nuestra vida! amantes muertos, perdidos i olvidádos amantes, que nos siguen a lo lejos con su sombrás! vagabundos, aventuréros locos y tristes, hombres emfermos, de que ocasion reunianse en estás ciudádes grandes y lejánás! con campánás i con bestiás, apostoles de una religion futura todos! mentira es! que tál vida confusa de emfermedádes i misériás! tengo una otra história de un amigó perdidó hace tiempó, que era un mozó en el Ziegfield Folies, cuandó yo bailába en Newyork durante tres meses! este amigó era un joven de naturaléza rodeante e intranquila, un buen mozo, que há matádó despues su amante, i le hán hécho sentár por esto a la silla electrica! el me contába unavez en el locál cuandó delante la cocina sentábamos, cansádos los dos por la madrugáda, que en un tiempo rodába po Rio, en un restorant de tercera clase heciendó su setvicios, entonces en una noche cuandó salió a su cása de su trabajo, atravez calles i avenidás muertás, un pequeno hombrecitó bajo seguia sus pásos, adelantandole bajo de cada una de lás lámparás, examinandó su cára con alguna pasion salváje! despues se juntába a él, i despues de una converzacion corta le há hécho una oferta muy desvergonzáda! "te doy por ejemplo tres pesos, i ven conmigó!" decia, pero mi amigó ni le há hécho cásó, entonces el hombrecito le há ofrecidó cinco pesos, i agarrába su brázó! mi amigó se há librádó, le há dádo un golpe al pecho al hombrecitó, i seguia su caminó! el hombrecitó tras de el corria, i ahora ya ocho pesos há ofrecidó a mi amigó, i de nuevo diez, depues doce! ya gritában en alta voz, el negro bajitó aullába terriblemente, i gemia como un perro, de un ládó de la calle corrian al otro, entonces el hombrecitó arrodillábase delante mi amigó, abrazába su pies, i besába su vestidó, gemia, i le ofrecia siempre más i más pláta, sacába tambien la pláta de su bolsillo, i terriblemente gemiendó cojeába tras de mi amigó, por el médio i por todás partes de la calle! entonces en el fondó estába acercandoles una gran compania, el hombrecitó con gemir doloroso i animál se retirába, desde una esquina lejána i oscura llamando a mi amigó, hasta que el no há desaparecidó en la oscuridád!

17.

el dueno de la agencia de entierro i el bailarin seguian tomandó, i tomában lás
mucháchás sentádás a una mésa aisláda, i lás mujeres de cabellos desordenádos
tambien, perdidás en el humo! era lás tres de la madrugáda, los mozos quitáron su
ropa i chaléco en el gran calor, i Eta G. parecia una banista solitária por la orilla
infinita i nubláda del mostrador! de los cuartos rezervádos un hombre alto i de barba
desordenáda entrába entonces, en la compania de un gran hombre gordó i guaton, que
bigotito pequeno i lábios de color sangre tenia! ellos tambien colocábanse a una mésa
pequena, pedian bebidás i se pusieron examinár a lás mujeres! posiblemente ya eran
conocidos, porque desde su mésa conversában con lás mujeres más lejos sentádás, una
muchácha se levantó tambien, i se há sentádó al banco, al ládó del hombre guaton!
tomában entre tres, el hombre de barba desordenáda sacába ahora un billéte de cinco
pesos del bolsillo, i lo há ofrecidó a la mujer, sentáda al frente al ládó del hipopótamo!

ella
se reia, i rehusába la pláta! entonces el viejo se levató, i con espalda dobláda se há idó
de una mésa a la otra, susurreandó al oidó de lás mujeres, ensenandolás el billete de
cinco pesos!

– no me voy contigó tió Luis,

hán dichó lás mucháchás,

– por cinco pesos
miserábles tál cosás exiges tu de nosostrás, que nos cuesta más, i no nos conviene!

i se
reian, con una risa clára! el viejo de barba se há idó a otrás mésás, andába por toda la
sála, cogiendó lás mucháchás, i ofreciendoles su cinco pesos, pero lás mucháchás se
reian no más, i aburridás prevenian lás ofertás del viejo!

– ya te cocnocemos tio
Luis! si nos darias diez pesos, tampoco iriámos contigó, mejor no ganámos náda, pero
no nos vámos contigo!

i se reian otravez, largamente! el viejo andába por tódás partes,
se sentába al ládó de lás mucháchás, en su máno con el billéte de cinco pésos,
lamiendó su lábios nerviosamente, serio, i con fuego algó milagroso en su ojos!
despues de un tiempo largo como regresába a la mésa comun, guardába su pláta

otravez, i quedába sentádó silenciosamente, todavia siempre examinandó lás mujeres, pensativo i de nariz levantáda!

– prontó tendré más pláta, entonces vendré de nuevo,

decia

romoso al hombre guaton que sentába a frente de el, que hacia senas con la cabeza seriamente, i secába su bigóte humedo con la mánó!

18.

ahora entrába alguien, i tras de el un perro inmensó entrába a la sála! el perro hace tiempo ya que aullába delante la bodega, vagandó por tódás partes con roncó i doloroso gemir! ocultábase debajo los cajones granges tambien,

ahora corria al fogon,

i quedóse parádó por el médió de la sála, gemia roncamente i tosia, con ojos hinchádos! todos que estában en la sála, fijábanse en el, los mozos parecian en la niebla, lás mucháchás de pelo desordenádó saltáron de su silla, i escondieronse tras de lás mésás con cára pálida! váriás mésás desocupádás estában por todás partes, el perro saltába encima una de ellás, i gemia con ojos turbios, i tosia roncamente!

– este perro

pertenece al viejo vagabundó, que estába calentandose aqui por toda la noche!

gritában

algunos, el perro seguia tosiendó, i gemia amargamente! fuera entonces sobre el már estába ya la luna, colgáda en lás vélás de los buques! muchos querian acercárse al perro, pero el animál retirábase horrorósamente de todos ellos! solamente gemia i tosia terriblemente!

entonces chocábase a la puerta, i se pusó a ladrár, trastornádó! i corria por tódás partes de nuevo, i por la puerta abierta se pusó a corrér, con saltos inmensos! ya estába sobre los cajones, como una sombra enloquecida, toda la multitud amontonábase delante la bodéga, el perro entonces resbalába, i se caia por bajo de los cajones!

– que milágró!

gritába el dueno de la agencia de entierros,

que lo
que há pasádó?
    preguntába el bailarin, i se pusó su sombréró oscuró!

          – que milágró!

repetia
el dueno de la agencia de entierros, el perro se pusó a corrér ahora otravez, pero con gemir cláro i con ronca tos se há perdidó en lás sombrás de la orilla, i era posible oir su aullidó enloquecidó! corria por el alrededor de lós depozitos, i llegába hasta el már gemiendó trastornádamente! bebia del agua, cansádó e inquieto! toda la multitud fijábase en el, entonces ocultábase por lás paredes oscurás! allá comia desperdicios, i se quedó durmidó! despues se pusó a vagár otravez, perturbandó el silenció de los depozitos i callejuelás con su tos i gemir doloroso en la noche!

19.

como lo hémos dicho, cuandó el viejo hombre altó há salidó de la sála de la bodéga, llamáda "La Morgue", la luna lucia todavia sobre el már i puerto! habia gran vientó, lás ólás azoteában lás paredes de los grandes depósitós! el perró salió con bajo tos de bajo de los cajones amontonádós! por un tiempó vagában por tódás partes, despues el viejo encendia su pipa, silbába dolorósamente, i acariciába su perro emfermo! entonces, de la profundidád, como quien ya les esperába, levantábase una mujer, vestida de traje descoloridó, de miráda salvaje, i de cára pálida, una mujer extrána, Lidia S. Morand! evidentemente les esperába, i el viejo parecia nervioso como quedába parádó a frente de ella, con rodillás tiritádás!

        – a Utd. hé seguidó, me alegró
infinitamente, que la hé encontrádó,

        ha dicho el viejo con emocion,

        – una mujer que
extrána, i fatál! desde ános largos ando vagandó por tódás partes, evidentemente para encontrárla no más! como se lláman?

        – mi nombre es Lidia Mc. Lean, i si me dáscincó
pesos, pasaré contigó toda la noche! conoscó unás barcas abondonádás i viejás no lejos de aqui, nos vámos por allá, nádie lás guarda! mi habitacion es lejos de aqui, i

muy estrecha es por lo demás! esas barcás estan comletamente abondonádás, i yo misma tambien estoy acostumbráda a pasár en ellás la noche, si ya me hé cansádó, i me es imposible llegár a cása! entonces si quieres, vámonos por allá!

el viejo silbába

silenciósamente, i en su gran emoción temblában su rodillás!

– bien,

decia, i acariciába

su perro otravez,

– podémos irnos a ese buque! pero no me enganes en cualquier módo, no me lleves a estos buques si otros tipos tambien se ván por allá! por mi parte tengo asco de los hombres, ese perro es mi unicó amigó fiel, pero tu eres una mujer mui extrána, si te lo digo! recibes tu cinco pesos tambien, que seria, dime, si vendrias conmigó! nos iriámos, por léjos iriámos, aunque tienes alguien en este puerto, evidente es! como lo véo, tu tampocó eres una de aqui! entre algunos diás de nuevo salgo yo tambien, me voy al norte, que extránamente brillan tud ojos, i tu cuerpo es comletamente cálido, como una caldéra! mi nombre es Pedro Olson, de nacionalidád noruegó, de los montes nevádás i lejánás! que seria si vendrias conmigó! eres una mujer muy extrána! despues de calentárme un pócó pides tus cinco pésos, i por la madrugáda me dejas soló otravez! apurate, ya no tenémos mucho tiempo! buques abondonádós, hombres perdidós, despues de lavár tu cára por la manána, enseguida te cambiarás! llenáda con ascó mirarás hacia nuestra cáma, i te vás apurádamente! te espéra tu amante, a quen llevas el dinéró! pero no importa, no importa! en esta vida se pierde tódó, tódó se pierde, tódó!

20.

atravezáron unás callés, entonces llegában hasta las fines de una muelle, no lejos de los depósitós i estaciónes de carga, i a lás cercaniás de una colina llenáda con cazuchás miserábles i cuarteles, un cementérió tambien yacia allá, soló i perdidó en la oscuridád! en la estación tocába la campanilla de lás locomotórás!

– ahi estan lás

barcas,

há dicho Lidia S. Morand, i mostrába hacia unas sombrás pesádás, por la arrilla! quandó llegáron más cerca a ellás, hán vistó que buques son verdadéramente, abondonádós és sin illuminación! el perró emfermó tosia roncamente entre los rieles del ferrocarril!

        – evidentemente,

                 há dicho Pedro Olson ahora,

                             – estos buques estan bastante abondonádós! ahora véo, eres una nina bien prudente, aunque tienes ojos tan extrános! mi fiel i buen perró, Hacon, es emfermó, no vés? me voy con el hacia el Norte, para que se sáne! asi, asi!

                    i empollába de nuevo, el pobre! i asi llegában por más allá de la estacion de cargás, sin encontrárse con alguien! entonces el viejo asi lo continuába:

        – que extrána es la vida, que extrána! existen cámás calaientes, i jardines para descansár, sin embargó nosotrós en buques abondonádós vagámos, comó ladrónes i prisionéros fugádos, porqué? nos conocemos, i nos querémos! además soy más viejo talvéz, que tu pádre! por suerte mi sangre es bueno i ya muy cansádó! seguramente la querida de un navegante, que anda por lejos! fui navegante yo tambien en un tiempó, esos eran tiempos lindos, cuandó yo fui capitán, en el bordó del "Old Beery"! fui un capitán, te juró! pero todó se há perdidó milagrósamente! dejadlo que yo te agarre, esa pasadéra es tan angosta, y yo me sientó tan débil! al fin, ya hémos llegádó!

21.

en verdád, ya hán llegádó al veléro abondonádó, Lidia S. Morand, el viejo Pedro Olson i el perro! los mástiles eran quebrádos en medió, lás vélás rotás, lás ventánás i puertás destruidás, i el puente era arruináda! la puerta de los camarotes era abierta, i los camarotes eran llenos de paja, usáda posiblemente por los alojádos! áves volában con álás pesádás, i el vientó silbába silenciósamente! i lás ólás azoteában la pared del buque!

        el viejo de sentába a un montón de pája, el perro se descansába a su ládó con tos ronco, i Lidia S. Morand asi há dicho entonces:

– este buque, si desatariamos de lás cuerdás, todavia andaria por los máres! aunque desde ános yace sin usár! locurás son lás que habló! quitaré mi abrigó tambien, no te enojes i no lo tomes por desconfianza pero mi dinéro pidó siempre adelantádó, es mi costumbre no más!

el viejo sacába con triztéza su dinéró, contába los cinco pesos, i los entregába a la muchácha! entonces el perro con aullidó largó e inquietó se levantába, corria por tódás partes en el buque, por los camarotes, depósitós profundós, al fin en el puente se paró, trastornádó completamente! ruidos extrános levantábanse desde la profundidád, el viejo se levantába nerviosamente, i seguia su perro! Lidia S. Morand se sentó en la escaléra i há cubiertó su cára con lás mános! llorába ella, profunda i silenciósamente! el viejo tembien há ascendidó a la puente, después descendió otravez, agarrába lás verjas, mientras silbába nerviosamente!

i há recordádó en su nubláda situacion actuál, al unicó domcumentó de su vida pasáda, al "Old Beery", a su náve famósá! a los mástiles golbeába con una viga, i dobládó sobre la barréra con ojos vidriádós mirába lás letras raspádás en la popa del buque! se sentó entonces en la escaléra al frente de Lidia S. Morand, con el perro delante su pie, i asi há dicho:

– no sábes donde estámos, Lidia? estámos en el "Old Beery", en su náve famosó i antiguo, en el que yo como capitán hé servidó! estámos en el "Old Beery", en mi náve perdidó en el orgulló de los máres del Sur, en el "Old Beery"! tódó es lo antiguo, lás vélás, escalérás, barrejás, i el mosmo puente tambien, donde siempre parába yo, frente al vientó! a donde hémos llegádó, a donde? que pasádó es el mio? mi perro emfermó, mis tempestádes enormes, mis amantes antiguas aqui estan ahora conmigó, aqui esta mi pipa pequena tambien, que en una primavera hé comprádo en Liverpool! mi orquesta se descansó, mis musicos se hán ido por lejos, para tocár la musica en náves nuevás! que suerte fatál, i vida extrána! esperate, esperate no más! en lás noches, ante de la partida mis marinéros siempre se pusiéron a cantár, a una cancion; a una cancion verdadéra i buena, por dios, la hé olvidádo completamente! asi era la cancion, si no me equivoco: "en Singapur esperan al "Old Beery", aunque nosotros vámos con rumbó a Odessa..." la hé olvidádó, no la sé!

decia el viejó, i empesába a cantár

de nuevo,! temblandó en todó su cuerpo, abrazába al perro con brázos débiles, i

llorába, llorába largamente!

22.

Lidia levantába su mirába oscura de el suéló, entonces el viejo todavia asi hablába:

– hé

tenidó un gran cajon tambien, lleno con trajes lucidos, pipás, trompétás, lleno con

fotografiás de mis amantes pasádás, si lo encontraria! en un puertó extranjéro hé

abondonádó mi náve, por una mujer desgraciáda! se pasó como en esta vida todo se

pása! pero en este momento tan cláramente recuerdó a tódó! si encontraria mi gran

cajon, mis pipás, trompétás, fotografiás, si lás encontraria!

se levantába, i se fui

apurádamente! prontó se regresába, nerviosó, i agarrába la máno de la mujer!

ven

conmigó tu tambien!

há dicho a la muchácha, i la llevó a la profundidád del buque!

en lás escalérás como se bajáron, estorbában a los áves, i ratones flacos i de color gris!

el viejo há hundidó lás puertás, encendiendó fosforos a cada rátó! hán llegádó

entonces al bár, a donde estába una mésa larga, con botéllás i vásos vaciás encima!

aqui há encontrádó una véla tambien, la há encendidó, i se sentába con suspiró

cansádó! há abiertó una botella de aguardiente,

– tome,

ha dicho a Lidia S. Morand,

– ahora

eres mi convidádá, en el bordó del "Old Beery"! mire, el reloj tambien se quedába

parádó! sin embargó comó brillába todó aqui entonces! ahora es un buque cansádó,

que ya no sirve para náda, como yo! ya hé encontrádó mi gran baul tambien, abiertó

naturálmente, con unos trajes usádós en el fondó, esperate aqui, voi a ponermelos! que

extráno es todó; hasta entonces tambien tome, hay más dinéró tambien en mi bolsilló!

i un

montón de pláta is billétes arrojába a la mésa, sonriendose! se levantába despues, i há salidó de la sála! Lidia quedába sentáda, todó era inmovil, el vientó silbába no más; i mirába al dinéró, sin moverse, tiesamente!

23.

el viejo no tardába a regresár, en su vestidó usádó de capitán, mál afeitádó, como un espectró! sentábase a una silla al frente de Lidia S. Morand, bebia, i secába su bigóte humedó del aguardiente! i asi hablába:

           – que suerte tan desgraciáda es la nuestra! todó se há pasádó irrevocáblemente, rátás somos, con la misma suerte i desgrácia de ellás! que te parece, si regresariamos a nuestra vida antigua, empesariamos tódo de nuevo, tu tambien eres buena, lo veo, ahi estan la vida salvaje, la miséria i pecádó hundidós en tu ojos extrános, i sin embargó mereces perdon! todó empezaria de nuevo entonces! porque ya no es posible seguir le vida la que hasta entonces hémos seguidó, ya no es posible vagár, silbár, olvidár, e irnos al Norte, con mi perro emfermo, para que se sáne el pobre! ya no es posible!

           – a ti tampocó es posible seguir tu vida antigua,
– continuába el viejo, tomába un pocó del aguardiente, i emocionádamente mirába a la muchácha!

           – que quieres más? ya te hás juntádó con un pár de cientós de hombres, hás ganádó tambien dinéró, i te hás llenádó con tantás cosás purás i ascosás! como muge el már, lo oies? aqui bebes en todás lás noches, te vás de un boliche al otro, i durante una noche te juntas con los tipos más sucios del puertó! para que vives, dime? tienes alguien talvéz, a fuera de tu amante, a quien sostienes, en el préció de tu deshonradés!

           – cállate,

        há dicho Lidiacon voz ronca,

           – cállate, si no me conoces! tengo un hermáno lejos de aqui; te romperé la cabeza, si quieres atormentárme por los cincó pesos miserábles! que tál vida, que vida tan miseráble!

24.

– no me hán dejádó más, que una ropa rota, la que ahora tengó puesta!

há dicho el

viejo entonces, entristecidó, ya era completamente borrácho, y agarrába el brázó de la

muchácha! la véla se apagó, i en la oscuridád Lidia S. Moránd há vistó, que el viejo se

quita el sacó, i largamente bebe aguardiente de la botella!

– no lo olvides,

há dichó

entonces el viejo otravez,

– que toda tu noche es la mia! prontó nos vámos por arriba, nos

abrigámos con paja, porque aqui ya tengó frió! mi buenanáve, el "Old Beery" si

desatariámos de su cuerdás, todavia andaria por los máres lejános, llevádó por el buen

vientó!

há escupidó, i se levantába despacitó! el perró tosia roncamente, i há salidó por

la puerta!

– vámonos!

há dichó, i há encendidó su pipa; Lidia S. Morand se levantába

tambien, fantomes inmensós yacianse por tódás partes, i cuandó llegában al bordó por

arriba, sobre ellos estába el fantom más inmensó i temerósó, la luna!

el viejó ya cási

parába a pie, hablába confusamente, i silbába con el vientó! lás vélás suspendian en

lós mástiles, como hombres ahorcádós! el perró emfermó há tosidó con voz ronca, i

emocionádamente! el viejó terminába con su cosás ascósás con la muchácha, és

cubriendose con pája, quedába durmidó! Lidia S. Morand entonces se levantó, corria

por tódás partes trastornáda, i vomitába a largó tiempó! su sombréró usádó se há caidó

de le cabeza, i cuandó se há dádó vuelta, una sombra oscura há vistó al ládó del timon,

mirandó con ojos tiesos hacia ella! era el timonel evidentemente, el timonel de los

máres lejános, su amante deshonrádó! ahora empesába a corrér de nuevo, pero se

quedába paráda, sin pensár i movimientó algunó!

se há sentádó sobre la escaléra

bajo el puente de la náve, i en la profundidád há vistó a su hermánó mayor, parádó en

una isla lejána i azul, amenazandola! se há levantádó entonces, i en lás sombrás empezába a buscár por instrumentó algunó, sin saber lo que hace! al fin há encontrádó un páló de fierró, lo levantáva, i regresába al viejó! le há descubiertó, i agarrandó al páló con lás dos mános, con fuerza salváje pegába la cabeza del viejó, hasta que su cuerpó de él há parecidó tieso, i completamente inmovil! ahora se há caidó ella tambien, con profundo i dolorósó llorár!

25.

entonces há salidó ella otravez, subió al puente, i con su dos mános secába el sudor de su cára! desde lás estaciones há oidó el ruidó de lás locomotórás, una campanilla tocába desde allá, i una otra, desde el cementérió! se bajába de nuevo, há dádó una puntapie al perró, que se há levantádó enseguida, cansádó i con tos ronca! ella há sacádó un pedázó de pán sécó de su bolsilló, i asi haciendó lásó al perró, llegáron a lal orilla! allá votába el pán por léjos, desatába lás cuerdás, i regresába al buque! la pasadéra tambien votába al már!

entonces arraglába lás vélás en los mástiles, en los que agarrába el vientó! el perró por tódás partes corria por la orilla, comó un lócó! Lidia S. Morand subió por el puente, i acecábase el timon despacitó! nádie, nádie! ellors dos eran en el náve no más!

ahora se há partidó el "Old Beery", con rugir temeroso, bajo vélás rotás i oscurás, se há dádó vuelta pesádamente, i como un espectró se dirigia al már! lás cadénás hán héchó un ruidó inaguantáble en el fondó; Lidia estába al ládó del timon, con ojos turbios, temblandose en tódó su cuerpó, i de cára pálida! la luna sobre el cementérió estába ya, cuandó grandes islás verdes levantábanse desde la profundidád, llénás de tipos rotósos i cansádos; despues se perdió tódó, la náve dejába léjos la ciudád i el puertó, i ya volába sobre lás ólás en el már inmensó!

26.

en la vida nocturna del la colónia i puertó V. há tenidó un papel mui importante el bordel de Mercédes R., tituládó el "Septimó Ciélo"! Glória ya se encontrába en esta cása entonces, con su perfecta belléza celestiál! boxeadóres, tréners de footbal, jugadóres falsos, hán visitádó priméramente a esta sála de mucho respecto, que estába situáda en una gran cása de color gris en la calle de El vientó Norte, bajo el numeró 7.

en lás cercaniás otrás cásás de tolerancia i bordeles de tercer orden tambien estában, como la Samaritána Piadósa, la Manon, i la Fruta Prohibida, que eran frequentamente visitádás por marinos, cargadóres negrós i pobrétes del puertó!

en una de estás noches, despues que Lidia S. Morand se há desaparecidó de la ciudád, el perró del viejó vagabundó se há aparecidó en una de lás cásás dichás, se há acostádó a la puerta del salon, i se há quedádó allá! una de lás muchachas, cierta Graciéla, le tomába en su cuidádó, esa Graciéla era una muchácha baja i flaca, de pelo rojo; ella cantába hermosamente, i cuandó entrába al bordel de la senora Mercédes R., lo há hécho de votó, ofreciendó con eso su cuerpó i alma a la crueldád de un dios desconocidó!

27.

en una de estás noches entrába a la cása de Mercédes el carnicéró H. Cortéz! cuandó entrába al pátió del bordel, há vistó, que el salon esta lleno con huespédes i mucháchás, escuchandó alguien, que esta hablandó sonóramente! comó asi les acercába, i quedába parádó a la puerta del salon, há vistó, que un jóven bajó, de vestidó usádó, i de cabelló largó esta parádó sobre una mésa alta, en su mánó con látás de pintura, i pincel, lineás extránás pintandó sobre la pared!

– quien es este joven?

preguntába el carnicéró de una muchácha, que estába a su ládó!

– este joven es Agrella,

há dichó la muchácha,

– N. Agrella, si quieres saber! el es un poéta médió lócó, un vagabundó además, que nos visita frecventamente, i duerme en el corridor, si no tiene otro sitió para dormir! nos dice, que nos vá a pintár la mápa del mundó nuévo, donde tódos nosotrós serémos felizes! la duena, senora Mercédes le déja estás tonteriás, porque en realidád el es un mucháchó bueno, i honrádó! ahora habla, para que despues reciba algó para comér!

en el gran silenció entonces se hán abiertó lás puertás de los cuartós, i en ellás mujeres se hán aparecidó, médió desnudás, escuchandó silenciósamente en lás sombrás!

– esa gran oscuridád, soledád i misticismó es Ásia, llena con murallás, grandes rios desordenádós, con perros hambrientes, i con peste bubonica,

há dichó Agrella, nerviósamente i de dientes llamativamente lucientes, su vestidó era completamente rotó, i era para vér, que no há comidó ya hace muchó tiempó! su vóz era ronca, sin embargó hablába bien cláramente!

– esa tierra es la nuestra; Shanghay, Hongkong, Tibet, Mandzsuria, Nikolajevsk, Turkestán, i la gran Rusia, la nuestra es! el desiertó Góbi, con cadáveres, el ferrocarril de transibéria, el lágó de Baicál, i el Caucásó! i que gentes, yacutás, negritós, gentes de Irán i de Tibet, liucius, andamániós, cirgizes, amarillos, negrós, i de color de plomó, gentes salvájes, libres de toda mentirosa civilizacion! esa es Asia, la cuna de la humanidád i de la futura revolucion, con ciudádes grandes i misteriósás, comó Vladivostok, Orenburg i Tobolsk, i con hordás confusás i emfermedádes bubónicás! esa es Ásia!

28.

este Agrélla era un hombrecitó bajo i flaco, con su veintiocho, treinta ános, i que andába siempre hambrientó i en vestidó rótó! un sombréró usádó, de color gris tenia, i llevába zapátós completamente rótós! su pantalon i sácó era lleno de manchás de diferentes colóres, i cuandó se há reidó, ensenába tódós su dientes! tenia piel comletamente morénó, i era de caracter inquiétó i nerviósó!

– eso es!

continuába Agrélla, con lás látás de pintura el su mános, sobre la mésa,

– esa es Ásia! que sabémos de ella nosotrós con nuestra civilizacion européa, i produccion américána, os preguntó, que sabémos? absolutamente náda! nosotrós americánós, en estos pequenos estádós miserábles parecémos no dárnos cuenta con lás ideás actuáles, con la vida de los vecinos poderosós i aun lejános, i principálmente no nos dámos cuenta de lás transformaciónes sociáles, delante que estámos, i esta al fin toda la humanidád! nos quedámos parádós, hundidós i perdidós en lás mentirás sociáles, politicás i moráles antiguás, comó lós puercós infelices de un hacendádó máló! mentirás i tonteriás son! esta léjos de mi tenér una conferencia contra estás mentirás i tonteriás, no quieró hacér otra cósa, que pintár la mápa de la sociedád futura sobre esta pared; la mápa de la sociedád futura, i la mápa politica de la civilizacion i economia!

29.

ahora entrában unos negrós descalzádós por la puerta con voz alta i ligéra, con camisa abierta en el cuello, evidentemente de un trabajó nocturnó, pero cuandó hán vistó Agrélla, en el centró de la multitud en el salon iluminádó, se hán parádó, i quedában calládós, mirandó lás lineás i manchás negrás i rojás pintádás sobre la pared!

　　　　　　　　　　　　　　　　　　　　　　　　　　　– los juicios, i opiniónes

　　　　　　　　　dijó Agrélla,

　　　　　　　　　　　– en este cásó tan pocó válen, que una cása por ejemplo con fusiles o canones de pesáda artilleria a lás pulgás o chinches! de la vista de la morál, i sociologia nueva Európa i América son completamente parecidás a una cáma comun i nunca en orden puesta; el vagabundó que en ella se acuesta, sáca tódás lás pulgás i chinches, que los huespedes durante siglos en ella dejáron! se há madurádó para que la quemen! América con la ligeréza de su vida económica todavia puede conservárse a algun módó de eso podrir, pero a América no podémos tomár en sérió, ella es una criatura engordecida i de gran cabeza, de que no sabemos exactamente, que si no es un monstruó! Austrália i África, parecen como hijastrás rotósás, que en en su situacion abondonáda al bordel de la colonizacion hán llegádó ya, sin alguna esperanza, que alguien lás saque de su miseráble situacion!

　　　　　　　　　　　　　　　　　　　　　　　　　　　– juicios i opiniones,

　　　　　　　　　continuába después,

– que mucho significan estás palábrás! buenás palábrás son, verdadérás i seriás! ni me ocuparé con la situacion actuál i futura de lás religiónes, si todós sabemos muy bien la importancia de ellás, que es completamente iguál con la importncia de los cuentos de hádás, publicádos en los calendários i almaques! no son peligrósós, no desesperámos, todás su fuerzás son lás bienes materiáles, que momentáneamente ocupan! si eso se pierde, se pierden ellás tambien, lás torás i cruzes llegarán a la cása de prestamo, i su agentes pueden cambiár de offició! algunos de ellos se pueden colocárse como maestros de nadár, o como juezes en luchás de boxeo!

30.

– despues de tódó entonces podémos bosquejár la mápa, de la que hémos habládó,

dijó Agrélla, i la pintura roja de lás látás a su vestidó rotózó goteába, en el médió está la gran Rusia, con el Lenin muertó, con el Trickij demónicó, con Lunacsarskij, i además con una tropa de hombres ignorantes, ingenuós i brutáles, pero que no ménos son ignorantes, ingenuós i brutáles, que eran los mártires, santos profétás e inquisitóres priméros del cristianizmó! los escritore atheistás de los siglos pasádós, con su brosurás i cien mil tomós enormes no hán dádó una prueba igual, que há dádó Moscu con los "doce dedós pulgáres" de San Pedró, por la ocasion de la Exposicion Atheista! que cosa tan magnifica! los campesinós tontos son i astutós, los burgézes i funcionáriós cobárdes son, cuidadósós i ávaros! pero tras de ellos están los amarillós, negrós i de color plomó, que no respectan la cultura estupida i de mentirás, ni los tradicios i mithos de los ignorantes; estas gentes dispuestos son a destruir todás lás mentirás! esa es Rusia, llena con demonicós, secrétos i mistérios!

– esa es Rusia, imaginámos que estámos en una gran féria, donde al lugár de cosás inutlies i sin valor, trompétás, carrusselles, al lugár de gitános, libros de rezár, ruisenores i corazones de pestel instrumentos industriáles, autós de carga, edificios compuestós de beton, fierró i vidrio, partiturás deobrás musicáles modernás, follétós politicós, carteles i mil de cósás a estos parecidós estan a la venta! que cosa tan magnifica! a las criaturás no lás

31.

en el rincon empezába a tocár un piánó electricó entonces, lás muchánchás se retirában con los huespedes a su cuartós, otrás hán arregládó su médiás, i se hán idó a bailár! Agrélla tambien se há descendidó de la mésa, i se há idó directamente a la propietária, que le esperába al ládó del mostrador! una muchácha alta i triste estába sentáda al ládó de una mésa redonde sobre un sofá!

– váyate a la cocina, Agrélla,

há dichó la propietária, i despachába dos copitás de aguardiente, lo hán tomádó, Agrélla há sonreidó, i su mánós suciás de pintura limpiába en su pantalon!

– en la cocina ya recibes algo para comér, buena sopa, legumbre con un pedázó de carne, i una copa de vinó! si no tienes alojamientó puedes dormir en el salon! ya tenémos un perró tambien, podéis guardárnos juntó a nosotrós! váyate pues!

Agrélla se há idó a la cocina, i se há sentádó al ládó de una mésa enorme, lás látás de pintura há colocádó al rincón, i esperába! la cocinéra há tridó ya la sopa, partia un pedázó de pán, bien grande, i lo há puestó por delante de el! Agrélla ahora há vistó, que al ládó del fogón esta descansádó un perro, que a véces tose roncamente!

– este es el perró, há dichó la cocinéra, en la sála vecina hán bayládó, la musica tocába, i por la callé cantában en el fondó!

– este es el perró, que hacen unós diás entrába a la cása, se há acostádó a la puerta del salon, i se há quedádó aqui! una de lás muchánchás, cierta Graciéla lo há adoptádó, há héchó un establó para el, i le dá a comér de la suya! no digó, sirve bien un tal perró grande i mansó en la cása! peró nos mira con una tristéza extrána i tose siempre! evidentemente un perró ráró es, ráró i sin ámó, i nádie sábe de quien es, de donde viene i a quien busca! entrába a la cása, i se há quedádó aqui!

– un perró vágó es, dijó Agrélla, i empezába a comér al legumbre, servidó con un pedazitó de carne encima,

– peró esto no importa! tal perros vágós son audazes, i no cuentan con lás circunstanciás! ya tiene un establó tambien, i recibe bien comér; hay cosa alguna más importante que esa en la vida, digame? i sirve bien por estos bienes, guardandó la cása, este perró es un bueno obréró, un buen companéró de nuestra vida, con lás misériás i tristéza i emfermedádes i honradéz de los companérós trabajadores!

32.

despues de cenár Agrélla se há levantádó, há puestó su sombréró usádó de color gris, i há salidó de la cocina! el perró le seguia con pásós cansádós, i con tos enferma! en el corridor mucháchás corrian por tódás partes, i en el salon illuminádó sonába la musica!

– entonces la muchácha alta, que siempre sola sentába al ládó de una mésa redonda en la sofá, a frente de Agrélla há venidó ahora, i se há parádó a su ládó! era muy nerviósa, con ojos turbios, que brillában exaltádamente, i asi hablába:

– mi nombre es Dolóres, yo misma tambien rusa soy, i verdadéramente me lláman Julia Ivanovna, há dichó ella con ronca voz, con ciertó acentó extránó, i en tódó su cuerpó temblába,

– yo misma tambien rusa soy, de la lejána gran Rusia! hé oidó tódó lo que hás habládó, i me hé recordádó a tódó! al gran rió Volga, al Urál, al Caucásó, Sibéria, Al Creml, Vladivostoc, Orenburg i Tobolsc, a tódó, a tódó! tódás lás torres, la troica, i toda gran Rusia lejána! me duele tantó! hace tantó tiempó que me hé salidó de allá! hé sufridó más que nádie, pero lo sé con tóda seguridád, que tendré que sufrir tódavia más! mi pádre era un herréró, un hombrecitó de bajó cuerpó, pero un hombrecitó buenó, iguál de ti! todás nosotrás fuimos buenás, i nos hémos querodó muchó! ahora estoy muy sóla i abondonáda, i sufró insoportáblemente! ni un perró tengó, solamente tengó un libró viejó, obra del buen principe Kropotkin, que hé recibidó de mi hermána hace muchó tiempo muerta, en regáló! ni un amante fiel tengó, un amante fiel! sufró imposiblemente, i espéró que gran Rusia no se vá de mi olvidár! seguramente hay allá un gran libró, iguál que hay en lás escuelás i collegios, lo que si abren unavez, pueden mi nombre encontrár, Julia Ivanovna, i asi llegan a saber que estoy en misériás i perjuicios, i sufró insoportáblemente! por esto tendrán péna, extienden su mánós hacia mi, i me abrázan juntó con mi viejó libró del buen principe Kropotkin, que tambien era un revolucionárió, i há sufridó muchó tambien!

33.

entonces Agrélla há regresádó a la sála, i se há sentádó a una mésa sólida! el perró se descansó a la puerta del salon, i se há quedádó allá! H. Cortéz acercába la mésa ahora, i se há sentádó sin decir algó, levantáda su miráda al Agrélla! despues entregába su mánó sobre la mésa, i el carnicéró asi hablába entonces:

– mi nombre es H. Cortéz, carnicéró soy en el puertó, i de oidó ya hace muchó tiempó que conoscó a Ustd! muchó hé oidó sobre Ustd. Agrélla, en el puertó, en la bodéga de La Morgue, en los bordeles, i por tódás partes! hé oidó de su situacion miseráble, de su ideás confusás, luchás i de su fé, que antes yo mismó tambien llegé a conocér! sientó una amistád sincéra enfrente de Ustd, i cuandó véó la miráda confusa de Ustd, su cabellós desordenádós i vestidó rótó, puedó completamente comprendér su situacion!

– mi vida es muy trastornáda, desordenáda i diabólica, senor,

há dichó Agrélla, i bebia su aguardiente,

– pero en este momentó no se tráta de esto! verdadéramente en una situacion miseráble vivó, trabajó i piensó, hay veces sin comér i descansár, pero siempre burlandome sobre lás preguntás e instituciones humánás, como un actor o payazo, en lás tiendás del mercádó! revolucion i bordeles! en barraccás i en casuchás vivó, i si me vá mejor en los techos, i si todavia mejor me vá me alojó a una muchácha que me aguanta por unos diás! pero ya me cansé de esta vida, i como un mál perro quieró descansárme! si ya no hay otro refugió, siempre vengo por aquá, la duena me manda a la cocina i me dán comér, i despues me deja la noche llevár en el salon, sentonces el portéró se vá a paseár, i yo me quedó en la cása a vigilár! me conocen bastante en el puertó, hé vagádó muchó por tódás partes, i veo cláramente la vanidád e insignificancia de lás cosás! hé llevádó correspondenciás con Apollinaire, i con Trockij durante su emigracion, a Marinetti conosco personálmente, me há ayudádó unavez en mi miséria en Newyork! lo reconoscó, soy completamente trastornádó i confusó, en el puertó los ninos me echan piedrás, los marinos i cargadóres me invitan a lás bodégás a tomár, pero yo más bien les pidó que me dén algó a comér, entonces naturálmente me convidan! conoscó muy bien los ladrónes de los cerrós, con su perros i amantes sucias! trastornádó i confusó soy, pero esa confusion fértil, i bendita es, parecida es esa confusion mi senor a la limpieza sincéra de los aventuréros, a la locura de los santos i profétás, i a la sabiduria clára de los ninos!

34.

– por consiguientehoy noche me alojaré aqui, con mis apuntes en mi bolsillos, con pedazitós de papel, llenos de tonteriás, que en mi pensamientós me ocupan! por ejempló comó: lós fondós, origenes i evolucion de los artes, la mentira, i los escritóres dilettantes de lás mentirás, comó Romain Rolland, Wilde, D,Annunció, etc.; despues lás religiones, la estupidez tradicionál de los curás, i la pilleria de la iglésia! lás posibilidádes del collectivizmo, etc, etc, comó Ustd. lo vé, son tódás realidádes, por lo ménos realidádes del pensamientó i de la nueva cultura! revolucion i bordeles! que cosa tan magnifica!

ahora, como el piáno sonába silenciosamente, hán oidó el llorár dolorósó de un ninó, desde el corridor! una muchácha flaca se há sentádó al ládó de ellos,

– un ninitó es que llora, le llaman Miguelitó,

há dichó la muchácha, i há pedidó una copa de aguardiente,

– es un mucháchó pobre, i tiene una mádre i un pádre! su pádre de él es un sastre, que se há divorciádó de su mujer, porque ella se há llegádó a "mál caminó", la vida la há votádó de una parte por otra, i há sufridó muchó hasta que llegába para aquá! ya no es la más bella, ni la más jóven entre nosotrás, ya muy pocó tiene de sus cabellos, i gana muy pocó, porqué los clientes de la cása no la quieren! es gorda tambien, i deformáda! ya se ven que no es más, que la antigua mujer de un sastre! este Miguelcitó es su hijó, i lo del sastre, que por tódás lás noches del dia viernes la visita juntó con su pádre en el sentidó de lás reglás de nuestra cása! hay aqui en el alrededor un ayudante de carpintéró, un mozo de bueno tipo, y cuandó se há enterádó de la cosa, desde entonces todós los dias viernes viene a visitár a la mujer, exactamente a la misma hora cuandó el sastrecitó con el ninó Miguel viene! el mozó cuandó vé, que ya abre la puerta, i viene el sastre i el ninó, entra entonces al cuartó de la mujer, i se queda con ella durante largó tiempó, i solamente despues de la média noche se vá! hasta entonces el sastrecitó espéra parádó ante la puerta de la mujer, con su sombréró quitádó, triste i avergonzádó! hay veces que nosotrás con Miguelcitó ponémos a jugár si el tiempo nos deja, le dámos dulces i naranjádás, pero se parece que tiene miédó de nosotrás, porque nos mira con ojos málós! i cuandó ve llorár a su pádre, empieza golpeár la puerta, i llora el tambien, i el ayudante de carpintéró nos cuenta que adentró en el cuartó llora la mujer tambien, llora i suplica, pero el mozó entonces se pone al más amorósó, i burlón!

i verdadéramente se há podidó ver, que el sastre ante la puerta esta sentádo, i el ninó llora silenciosamente! era la noche de viernes, i un galló gritába en el fondó! los ojos de Agrélla brillában oscuramente, el perró se há levantádó del umbrál, i tosia en ronca voz! el galló gritába en el fondó otravéz! verdadéramente, se acercába la madrugáda!

35.

entonces, que Lidia S. Morand misteriósamente, i ante su conocidós i amantes tambien incomprendiblemente há desaparecidó del puertó, en la noche del quintó dia tocába la muella la náve Orinocó, cargádó pesádamente, cansádó i descoloridó, en el bordó con el amante fiel, con el timonel N. Valdéz! en tódó el puertó sonában los gramofonos, acostumbrádamente si un buque felizmente regresa! el timonel, despues de terminár su servició, se há lavádó, i vestidó, há arregládó su haber con el contador, i asi bien arregládó, con su pequenó baul há descendidó del vapor de carga! i enseguida hacia su habitacion dirigia su pásós, con el propozitó de buscár a Lidia Morand, su amante fatál, en una gran cása donde hán vividó!

esa cása estába situáda entre fincás abondonádás, entre zarzáles sobre una colina, en los fines de la ciudád! la cása misma tambien parecia a una náve con sábanás i manteles tendidós sobre su téchó; en la lejania colinás azuleában, más léjos montánás, i sobre tódó el cieló! los árboles pequénos se movian en el vientó! por tódás partes lucian ya unás lámparás, i la luna llena tambien se há aparecidó sobre el már!

el timonel há subidó por lás escalérás, con la gorrita en su cabeza, con la pipa entre su dientes, cargádó con su maléta, i se há parádó delante su puerta! abajo en el pátio ninos gritában, mujeres lavában en el corridor, i rádió sonába! golpeába por la puerta, durante muchó tiempó golpeába, sin exitó! se há idó, i de nuevó regresába, golpeába por la puerta, lleno de paciencia! los ninos se amontonában, i le hán mirádó desde lejos!

se   há   bajádó entonces, i entrába a la casucha del portéró! se interesába por Lidia S. Moránd, perdiendose en el humó de su pipa, con su gorrita sobre su cabeza! el portéró era un zapatéró, trabajába bajó de una lámpara oscura, i cuandó mirába por arriba, há conocidó el timonel!

– hacen cuatró o cinco diás que no la hémos vistó,

há dichó el portéró, i empujába su anteojos por su frente,

– ya há llegádó el Orinoco, Valdéz? ahora durába muchó tiempó el viaje, en tempestádes, comó hán escritó los periódicós! hacen cuatró u cincó dias que no la hémos vistó, se há idó a vagár, siempre a vagár se há idó, pero eso no nos interesába! se há idó a tomár tambien, naturálmente por el puertó! vagába con unos tipos ultimos, i quien sábe a donde se há idó! pero yo tengo otra lláve tambien para tu habitacion, si quieres, puedes abrirla! ya llegará, en la noche, o en elgunás de lás noches ya llegará! o puedes irte a buscárla si quieres, en lás bodégás del puertó ya la encontrarás!

el timonel perdiendose en el humo de su pipa, encargábase de la lláve silenciósamente, i subió por lás escalérás otravez!

36.

pero no se há quedádó muchó tiempó en su cuartó misérió, que estába en el téchó de la cása, que olába en los águas infinitás bajo los manteles tendidós, como una náve! votába su maléta sobre la cáma, un espejo descoloridó estába en el rincon, há retrocedidó viendó su cára todavia más pálida i descolorida!

entonces se há idó, para buscár a la muchácha! ya se há ennochecidó, cuandó llegába al puertó! la Red Stár, Acropolis, El Fáró, Torpedérás, además la bodéga de La Morgue estában iluminádás! desde tódás partes tocába la musica, autós de carga esperában delante los depozitós, i buques mugian terriblemente en el fondó!

el timonel entrába a todás bodégás, por tódás partes bebia un pócó, i con tódó el mundó se pusó a conservár! perdiendose en el humó de su pipa, el preguntába i escuchába lás contestaciones! seguia su caminó, entrába a nuevás bodégás, sudandó, i de ojos tiesos, fumandó su pipa, saliendó con su hermosa cabéza canósa sobre tódó el mundó! asi seguia su caminó, atravéz callejuélás i bordeles, de un hombre a otro, regresandóse a unos sitios otravez, a donde se há sentádó i escuchába silenciosamente! esperába a unás mucháchás delante cásás de cita, durante horás largás, para recibir a su preguntás contestaciónes! asi pasába sobre el toda la noche!

por la madrugáda ya sabia tódó, entonces se há sentádó en una bodéga, i empezába a tomár! sabia de tóda la vida de Lidia S. Morand, sabia de su vagár, de su dolores, humillaciones i mizériás há conocidó su sangre, há tomádó conocimientó de su vagár nocturno, del nombre de su amantes, de vagabundós, negrós, cargadóres, i comerciantes, i sobre tódó de su trastornós i pasiones infernáles! comó de tódó esto há tomádó conocimientó, la há comprendidó, i en su miséria humána se há sentidó todavia más cerca a ella; la há comprendidó, comó há comprendidó a los máres, i a lás tierrás lejánás, há comprendidó a la pobre muchácha tambien, que tantó há sufridó en su pasion i humillacion! há comprendidó a su sangre, i a tódó su amor! hasta la manána estába sentádó aqui, con la gorrita en su cabeza, con la pipa entre su dientes, i bebia perdiendose en su pensamientós silenciosos!

37.

estába sentádó, i pensába profundamente, i parecia en esta madrugáda azul por completamente trastornádó! desde lás mésás lejánás le mirában largamente, comó bebia silenciósamente! despues se há levantádó para sentárse ortravéz! i asi há pasádó la noche sobre él, bajo pensamientós humillantes!

la taberna se há vaciádó después, venian unos servientes que echáron agua i barrian despues, i él todavia siempre sentába allá silenciosamente! fumába su pipa, i callábase con su hermósa cabeza canosa! le hán mirádó desde léjos, unos le hán saludádó, su antiguos amigos, pero ni los oia, sentába no más, bebia, i fumába su pipa perdiendó en su pensamientós profundamente! su lágrimás ardientes corrian por su cára, ni tomába el cansanció de sacárlás!

despues se há levantádó i salió, ahora a direcciones exactás ya, atravez callejuélás, para buscár a tódós, que juntó con él hán queridó a Lidia S. Morand; se há idó ala muelle, a los depózitós, fábricás, despues a tiendás i escritóriós se há idó, i asi hasta la tarde há amontonádó los amantes antiguos de Lidia S. Morand, que tódós le hán seguidó su pásós; albaniles, vagabundós, cargadóres, negrós, comercianes i empleádós, marinéros del puertó, i todavia otros más!

asi hán llegádó hasta el már, a donde casuchás i pequénás cocineriás estában situádás, entre rieles de ferrocarril i grandes depozitós! tocában lás campánás i ya se há amanecidó! entonces se há parádó, i asi hablába confusamente:

38.

– vos hé juntádó para avisárvos del desaparecér de Lidia S. Morand! a vosotrós hé venidó, para pedir vuestra ayuda, que juntó conmigó la héis queridó i humilládó! ella siempre se há idó a vagár, se há juntádó con cualquiera, bebia, sufria, i quejábase! vos sabéis bien, que era una extrána, nacida en Canadá, llamáda verdadéramente Ruth S. Moránd, de lás grandes tierrás de trigó i de pináles, i tóda su vida há pasádó en diferentes bordéles, entre pillos i cabrónás! talvéz por tódó esto ni ella tiene la culpa! que extránás son lás casualidádes! ella tenia un hermánó mayor, iguál vagabundó que nosotrós, que vive su vida perdida en Austrália! comó há sabidó ella querér, cuandó nos abrazába, con ojos tiezos i cerrádós! yo puedó comprendér su trastornós, su sangre i pasiones, i comó lás comprendó, me sientó más cerca a su amor! por ultimavéz la hán vistó con un viejó vagabundó, altó i extráno, i con un perró, que ahora tambien aqui está en un bórdel, bajo el cuidádó de una muchácha, llamáda cierta Graciéla! ellos dós, Lidia i el viejó seguramente se hán idó de la ciudád, o quien sábe? ella se há idó a tódós módós, durante tóda la noche hé pensádó, que podémos hacér! muchos somos, que hémos a ella queridó, i a que ella há muchó queridó! porque nos há queridó a tódós, a unos talvez más que al otró, pero a ninguino por nuestro sucio dinéró há queridó, nos há queridó a tódós por nuestra sangre i besos! si vos me ayudaréis, con poco dinéró, me iria a buscárla, para traérla otravéz por aquá, para que nos quiera como antes, otravez! no hay ningunó entre nosotrós, que hubiera olvidádó su amor, lo sé! hé decididó a embarcárme, i salir de aqui, i buscárla, hasta que no la encuentró! entraré a tódós purtos, a tódós bordeles i bodégás, esperaré delante cázás de cita, i la buscaré en mercádós, cines, i por tódás partes, que puedo imaginárme! si la encuentró, la cuentaré que cuantó la hé buscádó, ensenaré a ella mis pies sangrientás, mi ropa sucia, mi gorrita i mis sufrimientós, seguró es que volverá, ensenaré a ella mis ojos i mi cabellos comletamente canosos, seguró es...

39.

los otros le hán escuchádó silenciósamente, los comerciantes, estudiantes, empleádós, vagabundós, albaniles, cargadóres, i entre ellos el carnicéró H. Cortéz tambien! por la cára de unos lágrima há corridó, recordandose trastornádamente a ciertáscosás del pasádó! en lás cercaniás árboles de bajo cuerpó temblában, i en lás pequénás cocineriás i casuchás de pescadóres alguien cantába!

se encontrában entre ellos viejos, de barbás, desordenádós, piojentos, rotosos i de pies desnudás, pero todós eran los amantes de Lidia S. Morand! despues hán sacádó dinéró de su bolsillo, un viejo de pies nudás lo há juntádó en su sombréró, lo há llevádó al timonel, i asi hablába:

— vayate Valdéz, váyate, siempre fuiste buen timonel, conoces los máres bien, i ya eres canoso, i tambien trastornádó! tódós nosotrós te hémos dásó algó, cada uno segun de su capacidádes! el buque Nevadá sále hoy en la noche, hacia Norte! a largó viaje sále, i se pára en tódó puertó; si la buscarás, la encontrarás talvéz! pero busquela en los hospitáles tambien, i en los cementériós tambien, no solamente en bordeles, tabernás i en cásás de cita! que extránó es tódó!

– asi,

há dichó el timonel, i les há mirádó con
ojos muy tristes,

– tendré que visitár a los hospitáles, i cementérios tambien, no
solamente los bordeles i tabernás! que extránó es tódó, que extráno! Lidia es la hija
del Dios, de otro módó no estariamos aqui su profétás i creyentes, de otro módó ella
tampocó seria trastornáda, humilláda i de vida miseráble! la tierra se pierde en la
confusion apocaliptica, i en nosotros tambien la misma confusion está...

se há dádó
vuelta, i se há idó aladirecion del puertó! eran algunos que le hán seguidó, hasta que
se há perdidó en la oscuridád entre los rieles i depozitós; los demás le hán mirádó
silenciosamente!

40.

i en realidád, comó estába se embarcó, i se há idó a largó viaje, para buscár la amante
comun, a Lidia S. Morand! en el gran tumultó del buque se há perdidó, hasta que há
encontrádó un rincon, a donde se há sentádó, i fumába su pipa!

a   los   demás
pasajéros, comerciantes i marinéros há llamádó la atencion su portár confusó, i su
triztésa infinita! despues há salidó la luna, há recordádó a toda su vida, i su amor, el
puertó, que todavia ni há conocidó bien, su buque que há abondonádó por una mujer,
el Old Good Springfield, i empezába a silbár! se há recordádó a unás tabernás en los
puertos lejános, tabernás famosásde marinos, donde ya seguramente le esperában!
bodégás amistósás, i bordeles alegres!

se há recordádó a hospitáles i cementérios
despues, comó andába por el bordó, i mirába hacia el fondó del már! un viejo timonel
estába en el puente altamente sobre su cabeza! entonces en el fondó por el már há
vistó una náve, bajó la luna con vélás tendidás, con una sombra blanca en su bordó,
comó volába sobre el agua en color azul, hasta que se há perdidó completamente!
entonces se quedó durmidó, con la pipa en su boca, i con la gorra en su cabeza! el
buque sobre el már abiertó corria ya, la luna i lás estréllás acompanábanle por su
caminó infinitó!

41.

en una de estás noches hán sentádó en una casucha de cocineria entre tres, comó Agrélla, el dueno de la agencia de entierros J. Cristincivich, i el carnicéró H. Cortéz! cocinérás suciás parában al ládó del fogón, con cuchillos afiládos en la mánó, i por la puerta viejos rotósós sentában, pelandó pápás i limpiandó péces! delante ellos dos vélás ardian sobre la mésa, a fuera en alta voz gritában, i por la ventána abierta se há podidó ver el már! el puertó yacia por más allá, aqui en lás cercaniás grandes depozitós, rieles de ferrocarril, i por lás colinás unás casuchás estában no más, bajo de la luz de la luna! entonces asi hablába H. Cortéz, el carnicéró:

– nos hémos juntádó hoy noche, para oir de la vida de Agrélla, de lás luchás miserábles, pensamientós, juicios, e ideás de él, con una palábra para oir de tódó! Lidia S. Moránd se há desaparecidó, i el timonel se há idó para buscárla! en la semána pasáda el cadáver de un viejó hán encontrádó por la orilla, alguien há dichó, que era lo del Dios! artes, politicás, sabiduriás, actualidádes, religiones, asi ajuntátós pareces pulgás de circó! cláramente me recuerdó tódavia a la mápa del mundó nuevó, que há pintádó sobre la paréd del bordel! i al viejó perró abondonádó tampócó olvidó!

– lo era seguramente el perró del viejó vagabundó,

há dichó el dueñó de agencia de entierrós Jó Cristincovich! lás cocinérás suspirában comó chanchás engordádás, con cuchiloos afiládós en la mánó! una gallina sentába en el rincon, i los viejos peladóres de pápás, i limpiadóres de peces silenciósamente se descansában al ládó de su despacitó trabajó, sobre el umbrál!

– por consiguiente de estás cósás querémos oir algó,

há dichó el carnicéró, apoyando sobre la mésa,

– querémos oir algó de su dudás, de su trastornós, juicios e ideás! tanta cosa hay en el mundó, de que vále la péna algó a sabér! además este sitió es muy cómodó, aqui podémos conversár, i aprendér cómodamente, porqué tódós somos hombres sólidós! hay históriás, purás i bien humánás, que solamente con palábrás sincérás se puede contár, libremente de tódó literatizmó! nosotrós, de este puntó de vista somos hombres muy pócó imformádós, somos burgézes, quienes Ustd. comprende, pero no aprecia a muchó! que hombre tan extráno es Ustd. Agrélla, con su cabéza despeináda, con su casuchás, con su vagár, con su vida i juicios, que sin embargó su locurás, tan humána es! que vida tan milagrósa!

42.

– que hombre tan extráno es Ustd!

há dichó el carnicéró H. Cortéz de nuevo, i quedába pensandó! i asi lo continuába despues:

– que hombre tan ráro, con su sobréró usádó, con su zapátó rotó, con tal amigós como Marinetti, i con tál amantes como Lidia S. Morand, me parece que sin embargó vive completamente aisládó i abondonádó! con tóda de su trastornáda vida, esto ya es más que ascetismó! sin embargó cláramente se vé, sin mentirás, i equivocaciones se vé su vida, que es iguál de un gránó, que el sembrador a buena tierra há sembrádó, i que nunca se perderá, sinó se engrandecerá, i traerá frutó copiosó!

43.

el dueno de agencia funerária José C. há quitádó su csalécó, cuello i corbáta negra, tóda la compania tomába, grandes autós de carga pasában por el puertó, lás torres altás de la ciudád se hán levantádó, i elumináron a la noche oscura! por este barrio fábricás estában, estre talleres, callejuélás i fincás vaciás! el dueno de la agencia funerária asi hablába entonces:

– yo de mi parte estoy en tál situacion, que a los hombres despues su morir llego a conocér! todavia entonces tambien estan llenos de mentirás i vanidádes, pueden Ustds. creermelo! mi vida sincera, en tristes aventurás llena aun, me presta bastante ocasiones para deducir consequenciás fináles i fatáles de la humanidád! durante ános largós, hé llegádó a conocér muchos hombres i mujeres de toda clase i edád, comó me hán esperádó silenciosamente, silenciosamente en el sentidó exactó de la palábra! en la cára de los ninos hé vistó algó que me há tranquilizádó, en la cára de los ninos i de los pobres! en la cára de los ricós, capitalistás, entelectuáles, mujeres i demás monos locura, asco, desprecio hé llegádó a vér no más, comó su vida pasáda hán despreciádó, pero con un ascó tan sobrenaturál, que era muy de este mundó!

44.

ellos hán bebidó, por tódás partes silbában i tocában lás campánás, lás cocinérás secában los plátós, i difaráron los viejos limpiadódóres de peces! Agrélla hablába ahora, en su voz ronca, i comprendible aun, haciendó en orden su cabello desordenádó:

     – segun mi lás actualidádes tienen tanto valor, e importancia, que lás ciertás "eternás preguntás", que preocupan la humanidád desde miles de ános! empleár critica, o juzgár en esás "eternás preguntás" sin tomár en cuenta lás actualidádes por lo ménos es tan inmorál, inutil i ridiculó, que irnos a pescár tiburones con anzuélo! unos pillos i tontós creen que pueden amansár la naturaléza de los hombres, i detenér el tiempó! para que es detenér i amanzár la naturaléza de los hombres? para que es amanzárlás con reglás, leyes i doctrinás sin conviccion! la naturaléza humána buena es en el fondó, si no es deshonráda tambien, i sin verguenza! estos pillos nunca hán pensádó en cambiár lás cósás fundamentáles, por esto no se há cambiádó la vida humána desde miles de ános! en esta vida todó es deshonrádó, i asi despreciáble, o necio, i ridiculó por consiguiente! genió i locura,

                                                 há

seguidó Agrélla, i quedába un pócó pensádó, cubriendó su cára i su dos ojos profundós con la mánó,

     – sobre innumerábles cósás queda el hombre pensandó, pero nuestros juicios en estás cosás son turbiás i sin esperanza! regresandó a lás cósás anteriormente dichás, puedó asegurárlo, que lás "eternás preguntás" siempre en acuerdó están con las actualidádes! no me asombraria absolutamente, si los Siete Librós de Moises, el Libró de lós Profétás, i lás escriturás de los antiguos filozofós celtás i babilonicós el Standard Oil, o cualquiera de nuestrás fábricás de conzervás publicarian en su bolletines de anuncios, o nuestros grandes periódicos los publicarian entre su noticiás diáriás!

45.

– genio i locura!

   há continuádó Agrélla,

      – que sigló tan misreáble es el nuestró, a pesár de su magnifica technica tambien que miseráble es! su unicó recursó es, que algó diferente quiere hacér, algó diferente de los anteriores! este mundó es pudridó, su instituciones materiáles, i espirituáles son usádós ya, ya es tiempo de deshacérnos de ellos! al fin el mundó no es una cása de antiguidádes, lleno con rátás, con librós sordós, i con dogmás tódavia más sordás, lleno con miserábles, i lisiádós, i figurines ridiculos! estoy pensandó enormemente, i lleno con dolores, i mi unica palábra razonáble es que sobre estos puedó decir: sois miserábles, pagádós con bajo sueldó, sois criádós de la mentira i de la necedád, más miserábles i despreciábles de los perros piojentos! indudáblemente Swift o cualquiera de los literátós estás cósás hán podidó contár más discrétamente, pero la brutalidád es mi fuerza, que me cuida de tódó concertár miseráble!

      – tengó que aclarár muchós fráses atormentosós, para poder librárme de ellos despues! tal fráses son: la vida de los gran hombres, equivocaciones o mentirás de ellos, mitológiás! el principio de lás religiones, la politica miseráble de los empleádós de ellás! la importancia e inutilidád de lás artes! el genio i locura! el amor! la amistád, el odio, los jiucios, la idea i el ser del patriotismo, los cárceles! la aventura, como la idea fundamentál de la vida! estc, etc.! el militarismo, lás guerrás, los aventuréros de la industria, de la sociedád i del espiritu! el matrimonió, la unanimidád de la sociedád borgésa, etc, etc.! i mi vida propia, mi misériás i pensamientós, en este puertó i por tierrás lejánás, mi enfermedádes i mi locura! de tódó estó se puede vér entonces, que Ustds. pueden aprendér, escuchár i el fin tambien fastidiárse!

46.

– de pádres miseros e ignorantes hé nacidó,

      empezába su relátó Agrélla, los viejos silenciosamente sentában sobre el umbrál, i pelában la pápa, i limpiában lás péces, lás cocinérás al ládó del fogón calentábanse con cuchillos en la mánó! era una noche bellissima, por tódás partes lucian lás lámparás por la orrilla, el dueno de la agencia de entierros, i el carnicéró H. Cortéz bebian vino silenciosamente, entre dos vélás altamente ardientes!

　　　– de pádres misérós e ignorantes, mi pádre un tál sirviente era, que andába por lós mercádós, limpiába perros, i lustrába los sapátós de un comerciante i de un dueno de imprenta, que le hán empleádó mutuálmente, nosotrós tambien hémos vividó en la misma cása en una casucha que corria en ruedás, bajo un árbol bien bajitó! esa cása estába situáda en el corazon de la ciudád, tras de ella establos estában, i casuchás para perros enormes, el dueno de la cása era un comerciante de perros, que tenia su establos i casuchás siempre llénos con perros, que siempre hán cambiádó, hán traidó nuevos, i lleván los antiguos, todó era tan extránó, puedo decirlo! los perros vivian bien, se hán engordecidó, aunque el comerciante era un brutó, siempre andába con un látigó, tenia gran bigóte, i se puede decir que éra más altó que nuestra casucha! tenia una mujer, que tambien era alta i enormemente gorda! siempre andában juntó a paseár, con brázó en brázó, llevandó consigo perros ajustádós en sogás! entre dolóres terribles se há muertó este hombre, si vále la péna mencionárlo, aullába i gritába comó un bestia, há tenidó cáncer de estomagó; tras de lás casuchás de perros estába un establó, con dos vácás adentró, con un olor agradáble, que hoy dia tambien muchó quieró! estás dós vácás tambien mi pádre ordenába, verdadéramente se puede decir, tódó há héchó mi pádre, tódó trabajó que se há dádó por alrededor de la cása i su dos habitantes! mi mádre siempre estába en el hospitál, ella era muy flaca i distraida, siempre se há asustádó, i há rótó muchás cósás hasta en el hospitál tambien, plátós i vásós, muchás véces se há caidó ella, pero entonces nunca llorába, conmovia su cabéza no más! rodeádó por tál persónás pádres i perros hé pasádó unos ános, entre perros i vácás, más véces entre vácás en el establó, que mugian, i mirában al hombre con su ojos tiernos, si entrába al establó por la madrugáda un pocó a calentárse!

47.

– ante de juzgár, voy a contár mi vida naturálmente, para aclarár mi carácter i naturaléza, i mi módó de pensár! una servienta llegába al pátió entonces, que se alojába en el establó, en la gran ciudád S.! entonces me hán puestó tambien a trabajár, hé dádó comér a los perros, votába heno para lás vácás, perdiendome en mi suerte de aldeános! a la escuéla naturálmente no me hé idó, nádie sabia de mi existencia, i nádie se há ocupadó conmigó! despues en la imprenta hé trabajádó, donde yo barria el suelo, i limpiába lás máchinás, hé llevádó el almuerzó del dueno, etc.! la servienta há tenidó un amante, que en el puertó trabajába, i como algunavéz allá sentábamos en el establó entre vácás, bajo de una lámpara, silenciosamente, asi me hablába el amante de la servienta: "oye A. tu pareces un nino bien prudente, ciertó que eres un pócó sució, rotósó i descuidádó, pero talvéz por esto eres prudente i aptó!" en realidád fui rotósó, sució i descuidádó! entonces me dice el amante de la servienta: "te preguntó, si quieres luchár contra la injusticia i la maldád, i si sábes completamente que eso que significa? mirate bien, mire a tus zapátós rotos, i vestidós sucios! yo ya hé andádó por muchás partes del mundó, hé leidó i aprendidó demasiádó, i tambien tengo unos amigos con que nos acostumbrámos a hablár de esás cósás largamente! quieres ser un hombre, que ve cláramente tras de lás injusticiás i misériás humánás, i que conoce tódás lás mentirás miserábles de esta vida! yo tambien soy un miseráble, i al fin ignorante tambien! pero mi naturáléza carece de la mentira i de la deshonradéz! si quieres ayudárte en tu situacion terrible, i en la situacion semejante de los demás, aprende entonces, aprende a leér i escribir, busque la amistád de tipos sucios i rotózós, parecidós a ti, que trabajan en el puertó i se alojan en establós o por lás callés, converse con ellos, i ellos te ván a recomiendár ciertós librós, que si lees, vás a llegár a conocér bastante cósás necesáriás!" asi me lo há dichó, me há recomendádó hombres sucios i rotózós, semejantes a mi, que se alojan en estáblós, ahora pueden Ustds. ver e imaginárse el estádó primitivó del movimientó proletárió, en el tiempó de veinte ános antes!

48.

– hé aprendidó muchó, el mismó me há ensenádó por un tiempó, pero cuandó la
servienta se há idó de la cása, el tampocó há venidó más! hé aprendidó i estudiádó en
la casucha de ruedás, entre vácás en el estábló, lás paredes se hán caidó i yo ya volába
en mi sueno sobre pradérás verdes e infinitás, como algunás veces me há agarrádó el
sueno con lós librós en mi mánó, i me hé despertádó por la madrugáda, al mugir de
lás vácás! mi pádre entonces ordenába tódavia, limpiába bótás, andába por lós
mercádós, i há dádó comér para los perros enormes! mi mádre ya se há muertó, yo
mismó vagába por tódás partes, i me hé ausentádó por semánás tambien en mi rotósó
vestidó, me hé alojádó en selvás i en pradérás, hé vividó la vida de los vagabundós
campesinos, despues hé llegádó a conocér i querér el puertó! perdiendó en mis
pensamientós mis pénás, mizériás i sufrimientós parecian desaparecerse! sin orden i
critica hé leidó tódó, comó novélás, librós de filozofia i sociologia, i versós,
distraendome en el juego de lás rimás! hé leidó, escuchandó i silenciosamente, i
vagába por tódás partes! asi pasában sobre mi un pár de ános, entre privaciones
terribles, i dudás confusás, perdiendó mi fé en mi mismó i en tódó lo que hé leidó! hé
leidó, i hé destrudó en mi mismó tódás lás mentirás i deshonradéz, con que siempre
un hombre nace! me hé descansádó al ládó de los caminos, o me hé parádó rotózó i
hambrientó por lás avenidás iluminádás, con mánós en in bolsillos, i unavéz en la
barréra de la ciudád cláramente estába ante de mi, que dios no existe! juntó con esto
vi cláramente, que el valor i la fuerza de lás mentirásque aniquilábles son, si conta
ellás la verdadéra razon empleámos! ya hé vistó i hé juzgádó! hé juzgádó i me hé
trastornádó, porqué hé estádó soló, muy soló hé estádó! muy rárás véces me hé idó a
mi cása, i si me hé regresádó tambien, me hé atraidó por el estábló, para no vér a
nádies, que me há conocidó! entonces ya hé estádó casi completamente destruidó,
libre de tóda mentira convencionál, i humillacion servil, libre de mi pádre tambien,
que si por la madrugáda há vinó a ordenár, i me há encontrádó, me há expulsádó,
entonces me hé idó, los perros enprmes tambien se há despertádó i me ladráron,
porque ya no me conocian, me hé idó por lás selvás i por los barrios exterióres
entonces con mi dieziseis ános, con papeles rotos i sucios en mi bolsillos, i confusó
completamente!

49.

– la miséria i lás privaciones me hán hécho emfermó, asi hé tenidó que estrár comó serviente en un restaurant de tercera clase! ya hé conocidó Marx, Voltaire, Balsac, Renán, Spinoza, Haeckel, i Darwin, hé leidó W. Whitman, Marinetti, poémás revolucionáriás rusás i chinás, i unás proclamaciones de Trockiy, en el nombre de la revolucion! hé entrádó comó serviente en un restaurant, hé llevádó la basura, i con ganastas enormes andába yo a la panaderia i por el mercádó! todó mi dia pasába en trabajo terrible, aunque me hé estremecidó del trabajó, porqué sentia que lo me vá a molér! entonces no hé podidó aguantár la vida de los servientes! fui joven, i me hé idó a vagár otravéz, hambrientó i rotózó, iguál comó antes! empezába a escribir yo tambien, neturálmente versos, i versos muy málós! hé vivdó por lás periferiás, en un gran depozitó ahora juntó con un pintor, que tenia un tabládó, i pintába sobre sacos! al principió hémos estádó los dos, pero despues hán venidó otros tipos tambien, vagabundós, mujeres de la calle, trabajadores que no tenian ocupacion, i extranjéros; algunavéz nos hémos juntádó diez, doze tambien, eran viejos tambien entre nosotros, pero ellos se hán acostádó i quedában dormidós! nosotros conversábamos, yo hé leidó de mis librós, pero porque en el depositó era imposible encendér lámpara, solamente entonces podia leér, si la luna lucia! ellos hán escuchádó, comó les hé leidó versos o novélás, i algunavéz unos articulós teoreticós, i proclamaciones! he leidó partes del Contrátó Sociál, del Gulliver de Swift, i de lás novélás de Voltaire, que les há tódás bien entretenidó! entonces una muchácha se acostába a mi ládó, i se quedába conmigó hasta que no nos hán expulsádó, a mi i al pintor tambien, que fuimos los priméros que hémos descubiertó este lugár! entonces ella se há arrodilládó, i asi se há quedádó hasta que yo no la levanté, i llorába silenciosamente! despúes hé oidó, que ella se há parecidó, en el mismó depositó desde donde nos hán expulsádó, pero que despues se há llenádó todavia más que entonces!

50.

– naturálmente si hé vistó una paráda militár, o paseár novicios con su sombréró de terciopéló, con anteojos sobre la nariz, no podia retenerme de no echárles mi lengua burlandome sobre su necedádes! unavéz hasta mi pantalon hé bajádó, cuandó tomé parte en un entierro magnificó, a un emleádó del altó ministérió hán enterrádó, con tóda magnificencia, con freires gordós i enormes, con canonigos i arzobispos, pero les juro por mi alma, que no podia retenerme, cuandó hé vistó tantos esclávos gordós i flacos amontonádós, con cinta de litó en el sombréró! hé sidó un pócó más alegre yo tambien, pero en el mismó tiempó me agarrába una tristéza i cansanció infinitó! ahora ya siempre hé tenidó una muchácha por lás periferiás, que me há dádó a comér, a donde que me aloje, i un pocó dinéró, para podér pasár el tiempó hasta ella por lás callés andába! hé racojidó emfermedádes suciás, pero llegába la primavéra, i yo vagába por lás selvás i me banába en el már otravéz! siempre hé llevádó conmigó mis librós, i mis bolsillos eran llénos con papeles, versos i necedádes! un circó llegába entonces a la ciudád, un circó de etrcer orden i muy pobre, con un leon emfermó, con dos burros, i con un osó! en una pequéna tienda habia el espectáculó, entonces en una noche la pobre muchácha que entonces era mi querida, se há acostádó a mi ládó i me há dichó, que el payazó se há emfermádó en el circó, i el dueno busca alguien, que entraria al lugár de él, hasta que el no se mejora! me hé idó al dueno del circó, i hémos tratádó sobre el sueldó, enseguida me hán mandádó para barrér la aréna, i por la noche me hán pintádó i vestidó, i me hán llevádó a una casucha, donde yazia el payazo emfermó, para que me le ensenarian! con los burros tenia que presentár unás necedádes, i comó naturálmente muchós sabian que el payázó yo soy, tódó el publicó gritába, i cási arruinában tóda la tienda! despues de la funcion me hán mandádó otravéz a barrér, i cuandó ya queria salir, i hé pedidó mi dinéró, exactamente la decima parte me hán dádó, en que hémos tratádó! en alta voz gritába yo naturálmente, entonces desde lás casuchás salian lós mozos, artistás i luchadóres, i me hán votádó al barro! me hé regresádó a cása, la pobre muchácha me esperába ya, i cuandó entré al cuartó, i ella há vistó mi ropa i cára sucia, tenia péna i llorába, me há dádó comér, yo sacába mis papeles de mi bolsillo, i les arreglába! hé escritó, hasta mi véla no se apagába, entonces hé esperádó la salida del sol, i asi hé escritó hasta la manána! hé abiertó la ventána, besába mi amante, i asi la hablába: "ahora yo me voy, no tengas péna, alegrete, i acuerdete siempre a mi! esta vida es terrible! soy emfermó tambien, i hé sidó muy humilládó! tiene que venir algó, lo sabémos tódós! al fin, quieró aprendér idiómás tambien, i es completamente iguál, que donde pasó mi vida sin comér i entre misériás! por esta ciudád posiblemente nunca volveré, pero te voy a escribir siempre, i voy a comunicár contigó, comó pása mi suerte! no lo olvides, nosotrós tódós somos miserábles; si es posible, vive honrádamente, puedes irte a trabajár comó serviente, yo mismó fui tambien criádó, i hé quedádó lo mismó que fui antes! no te dejes enganár por maestrós de escuéla i por freires, ellos hablan purás necedádes; trabaje, i destruye en tu misma lás mentirás, con que hás nacidó, i en que te hán criádó! te dejaré un libró aqui, lo te para algó talvéz servirá!" hé regaládó a ella el libró de Bebel, /La mujer i el socializmó!/ la hé besádó, i con unos librós i papeles en el bolsillo hé salidó de la ciudád!

51.

– hé caminádó hacia el puertó, era una primavéra hermosa, i asi no tenia cuidádó del hambre i de lás demás misériás, hé alojádó en chacrás i en selvás, me hé amistádó con pastóres i tomába leche, asi hé vividó durante semánás, i a este tiempo me recuerdó, comó a los tiempos más silenciósós i felizes de mi vida! asi hé llegádó a la provincia de V. al puertó C.! aqui tambien hé vagádó por muchó tiempó, hasta que encontrába trabajó en una imprenta! durante la semána, que en la imprenta hé trabajádó, al lugár de los librós e impresós comerciáles, con que me hán encargádó, mis propiós versós i apuntes empezába a imprimir con la ayuda de un otró impresor! pero los demás impresóres no tardában a descubrirlo ante del dueno de la imprenta, que me votába por la calle juntó con mis apuntes i versos! en pequenás tabernás i por la orilla del már me hé alojádó otravéz sobre sácós i cajones! aqui llegába yo a conocér una junta de navegantes borráchós, que me hán regaládó un vestidó de marinéró, sombréró i zapátós, i que me hán persaudidó frequentemente, que me vaya con ellos a la isla de San Jorge comó casador de ballénas! habia entre ellos un hombrecitó bajó tambien, con barba, que siempre se reia, i bebia de cervéza una enormidád! el asi les hablába a los demás unavéz: "dejémos a Agrélla, los proyectós de él son completamente diferentes de los nuestros! Agrélla es un hombre sábió, un poéta, i no tiene náda comun con lás ballénás, elefantes i cocodrillos! que se váya el por el mundó no más, para que aprenda, piensa i estudia, cósás, que para el unavéz seguramente para algó servirán! entre tál sonsós i necios como nosotrós somos, el se aburriria! mejor será, si conseguirémos un buque, que le llevará a Nueva York, a San Franciscó, o a Hamburgó;" todavia nos hémos emborrachádó unavéz, verdadéramente vinó un buque, en que los casadóres de balléna me hán embarcádó, me hán dádó todavia un pocó de dinéró, i yo tambien les hé regaládó el Decameron de Bocaccio, para que gozen! en el bordó ovéjás transportában, de Patagónia a Colón, i yo mismó tambien les hé dádó a comér, i les hé limpiádó! del trabajó intelectuál siempre hé tenidó ascó, despreciába el trabajó intelectuál, más bien limpiába, o hé dádó a comér para los animáles, hé barridó, o llevába ganastás! me hé entrádó en amistád con los pastóres, que tódós eran hombres soltérós, siempre cantában, i muchó hán queridó a sus ovéjás! el capitán del buque era un individuó altó, i de barba i bigóte, que siempre fumába su pipa i nunca hablába! unavéz a mi há venidó, i asi hablába: "que quieres tu particulármente? me dicen, que eres un revolucionárió, i hablas purás necedádes! todó esto no me interesa muchó, porque mi buque es lleno de vagabundós, i tengó entre mi marinéros que del cárcel hán salidó, todós son borráchós, i yo mismó tampocó despreció la bebida! sin embargó me interesan muchó tu juicios, deme entonces un libró, de que poedo conocerlos! en toda mi vida dos librós hé leidó no más, el priméró se tratába de un ciertó conde aventuréró, que era una história completamente necia, ni al tituló puedo recordárme; el otro tenia por tituló: Los misterios de Paris., era iguálmente una historia nécia! me gustaria leer algó del már, alguna história bien escrita i verdadéramente humána, con bastante buque i con grandes puertós, si hay!" "tal libró no conoscó," hé dichó al capitán, "pero si le interesan la suerte de los viajéros, i si quiere un pócó conocér mis ideás i juicios, tengó un libró que le puedó ofrecer!" asi le hé entregádó el Gulliver de Swift, el capitán se encerrába en su camarote, i se pusó a leér, hasta la noche! ahora ya era média noche, tódó el bordó dormia, venia alguien i me despertába! por el suelo hé durmidó sobre sácós, era el capitán! el már parecia una sábana azul, bajo la luna luciente! hé vistó que la cára del capitán se há cambiádó completamente, su pipa apagába, i su ojos brillában! "deme algó, que me calmará, que me dará contestaciones! estoy completamente trastornádó, i tengó ascó de tódó lo que en el mundó existe!" me hé levantádó, i le hé entregádó el Capitál de Marx entonces!

52.

– dos méses más tarde me hé desembarcádó en Nueva York, me hé despedidó de tódós, el capitán me há abrazádó i me há dádó diez dóláres por recuerdó! hé salidó del buque, atravesába la Deth Avenu, perdiendome en el tumultó enorme del Broodway!

hé subidó a un subway, ya se há ennochecidó, por lás avenidás hé vagádó de nuevo, en el movimientó enorme! cásás hán levantádó en la noche oscura, por la luz de reflectores, en ruidó espantósó! delante teátrós, cines, i restaurantes automoviles estában amontonádós, i por tódás partes mucháchós i demás vendedóres de periódicós gritában! sonába la musica tambien, sobre el ruidó terrible de los hombres i de lás máchinás! me hé puestó a corrér, lás horás con una velocidád loca hán pasádó, cási era posible a vér, que los brázós de los relojes comó corren por adelante temeráriamente! en tóda la gran ciudád náda se há cansádó! cl subway otravéz, ahora hé andádó ya por lás periferiás, por el Haarlem, entre negros, chicheriás, bordeles, cines de ultima categoria, etc.! vendedóres de periódicós, delante su puestó gritában! más léjos chimenéás de fábricás se levantában hacia el ciéló estrelládó, con talléres illuminádós! grandes depózitós con enormes autós de carga! ventó por lás calles, que silba espantósamente! lleva consigó los papeles, i basurás! miséria! mucháchos i extranjéros! aventuréros, gritós de mujeres, gente de tóda clase, chinos, áraben, tipos salvájes, judiós i rusós! suficiente es tantó para la priméra noche! el subway otravéz, gran iluminacion, enorme movimientó, musica, tramvias i trénes de carga, dentro en el corazon de la ciudád, por pie corro ahora, entonces gran gran silenció, aqui estoy en el barrio del Broodway, entre rascaciélos, escritóriós i depozitós enormes, en el Well street, calles vaciás, por tódás partes rascacielos, i silenció! silenció! Nueva York se descansa!

53.

– entonces ya era otono, en una pequena cása de pension hé vividó en el barrió latinó, amistandome con vagabundós de tóda clase, mientras yo mismó tambien andába siempre por el City, aprendiendó i pensandó! me hé acostumbrádó a esta confusion bárbara, la hé acustrumbrádó i la hé llegádó a querér! no quieró hablár sobre la situacion, vida, etc. de Nueva York, supongó que tódós Ustds. lás conocen! entre los individuos que prontó hé llegádó s conocér, eran rusós, francéses e italiános, ravolucionários sin exeptó! hán héchó juicios sobre los americánós, eran anarquistás, pero absolutamente no puros i aclarádós, sino confusós e muy ignorantes! muchó hé vagádó por el Parque Centrál, i por el Zoo, apuntandó mi pensamientós, con el proyectó de hacér estudios para una obra mayor i de interes comun! ahora ya mis tál proyectó de hacér estudios para una obra mayor i de interes comun! ahora ya mis tál proyectos decláro por necedádes, i me costában muchó tiempo i trabajó a destruirlos! casi hé perdidó la linea, en que queria adelantárme desde el principió! sin embargó hémos tenidó disputás, grandes disputás i fertiles en mi pequeno cuartó miseráble, donde lámparás de gás alumbrában, i una dáma vieja, alta i flaca era la propietária! al ládo de este edifició un garaje estába; entonces un rusó, que há vividó en un sotano de verdurás, me há habládó algó de Trockiy, de la vida de el en Viena i en Berlin, me há dádó su direccion tambien, para que pueda esribirle si me dá la gána! hé vagádó muchó, por el rededor del palácio de Roockfeller, i la mansion de la familia Morgan, mientras todó mi dinéró ya hé gastádó; al fin de la semána, comó queria regresár por mi cuartó, hé vistó que la propietária de la pension esta sentáda en un sillon en el vestibuló, se despierta i me habla asi: "si no tiene pláta senor con que su alquiler me pueda pagár, tendrá que manána de su cuartó salir! asi tambien hé sufridó dános significantes, mis cuartós hán sidó llenos con piojos, los amigos de Ustd. los hán traidó posiblemente, tal individuos, que yo por mi parte ni a mi cása dejaria entrár! no me gustan los extranjéros, ménos entre ellos los rusós, árabes i judios, porque no son puntuáles, i i son muy desconfiádós! tantó queria decirle no más" ni me hé acostádó en esta noche, me hé sentádó no más, i por tóda la noche pensába! lo confiesó, no me hé asustádó muchó, al fin ya hé llevádó largós méses en otros tiempos en selvás i por el campó, viviendó de leche i de frutás; largamente gritában en el garáje vecino, i por lás calles silbába el vientó!

54.

– hé sidó desamparádó, pero entonces no en selvás i entre campos conocidós, sino en una gran ciudád trastornáda, con mi emfermedádes, locurás, deseós i proyectós ya cási perdidós! por lás calles silbába el vientó, habia una confusion enorme, i por tódás partes negros, comerciantes, agentes, vendedores de periódocós, autós de carga, cines i contrabandistás volteábanse en una vision carruseriál! el vientó silbába terriblemente, delante mi estába el invierno newyorkinó, con tóda su angustia desconocida! hé tosidó, i por un tiempó hé vividó juntó con tres de mi paizános, que trabajában en un edificio comó albaniles! ya entonces tambien me hán ensenadó mála cára, cuandó me hé idó vivir juntó con ellos, ellos se hán levantádó muy temperáno por la manána, i ensuciádós i descansádós se hán regresádó al terminár su trabajó por la noche, entonces se hán lavádó i limpiádó , i se hán idó a cenár i despues a un cine! me hán dádó un colchón bajó de una cáma, porque el cuartó era tan pequeno, que mi colchon ya era imposible a colocár por otra parte! pero hé vistó que les importunó, i me desprecian tambien, entonces asi les hé dichó: "os digó gráciás, que hasta ahora me hais aguantádó, ahora yo me voy, i buscaré un sitio donde el inviernó puedó pasár!" me hán persaudidó, que me entrára juntó con ellos a cargár ladrillos, pero ya fui emfermo, trastornádó, i cálidó por la fiebre! "será mejor si me voy," les hé dichó, "probaré entrár a un restaurant comó lavador de plátós, o a una imprenta, donde no hay frio, porque asi lo sientó que soy emfermo!" me hé despedidó de ellos, i me hé idó! hasta la noche hé vagádó por tódás partes, sin encontrár algó! tarde por la noche hé regresádó hasta la habitacion de ellos otravéz, pero no entrába, me hé avergonzádó para pedirles alojamientó nocturnó! el vientó silbába, i se há llovidó, mis zapátós ya eran completamente humedos, hé tenidó hambre, i sobre mis libros me hé sentádó bajo de unos cajones! al siguiente dia comó el sol se levantába, me hé puestó a vagár otravéz, me hé sentádó por bancos, hambrientó i débil! otravéz se há llovidó, i niebla se há caidó sobre Nueva York, lás gentes gritában, camiones corrian por tódás partes, camiones i trénes de carga sobre los puentes elevádós, entonces hé racibidó a comér en una cocina gratuita! la noche hé pasádó en un bancó del parque, entre zarzáles en la lluvia! mis librós, zapátós i vestidós ya se hán mojádó; al dia siguiente hé recibidó otravéz a comér, ya hé corridó, perturbádó i como que siente su perdicion, se há oscurecidó, por tódás partes lucian lás lámparás, tódó el mundó estába por lás calles, era la noche de los muertos si me puedó recordárme bien! hasta los cementérios hé corridó, vélás alumbrában, lás gentes lleván corónás, hé tenidó fiebre, alta fiebre hé tenidó hé llegádó por la habitacion de mis paizános, golpeába a la puerta, pero no estában en la cása ellos! se há ennochecidó, entonces hé llegádó hasta el sótanó de verdurás, donde mi ciertó amiguó vivia! me hé caidó por lás escalérás, el guardába lás frutás i verdurás, i há abiertó la puerta! me hé caidó, i a los demás no me recuerdó!

55.

– no quieró parárme muy largamente por la describcion de mis misériás en este terrible invierno newyorkinó, por unás semánás hé vividó en el sótanó de verdurás de mi amigo, a comér me hé idó por la cocina gratuita, mis pies hé envueltó en panolones, i por mi espalda tambien panolones hé atádó, puedó decirles, muy prontó una figura caracteristica hé sidó de la periferia enorme del City! me hé idó a calentárme a lás réuniones de la Armádia de la Salvacion, hé durmidó allá, i me hé despertádó a la cancion finál no más! nunca hé tenidó un centávos, en el sentidó verdadéró de la palábra! mi barba se há crecidó, mi camisa i ropa blanca se há pudrecidó, i tenia terriblemente mál olor! la nieve se há caidó, i se helába! me hé idó a palár nieve, pero despues de unos diás me hé caidó de mis pies otravéz! entonces hé oidó de alguien, que Marinetti se encuentra en Nueva York! hé pensádó, i en mi miséria terrible me hé resolvidó para buscárle! con mis pies envueltos en trapos, i por la espalda tambien con panolones, cuandó me hé presentádó en el lijósó hotel, no me querian dejár a entrár! hé esperádó durante largás hórás, hasta que venia Marinetti, le hablába, i nos hémos entrádó a un café! mi suerte le há profundamente conmovidó, me há convidádó, me há pagádó un café, i carne fria con huevos; unos dóláres tambien me há dádó, i me há llevádó a un médicó especialista, para que el me cure! mientras hablába muchó, me há regaládó con unos de sus librós, i cuandó se há idó todavia asi me hablába: "lo creo, Agrélla, que Ustd. es un hombre, que en los artes, i en lás luchás sociáles tendrá tódavia un papel importante! me alegró que hé podidó ayudárle, i recuerdase, que estámos muchós en guardia, esperandó el momentó, cuandó serémos necesários! viva alegremente, i guardame siempre en su bueno recuerdó!" me há abrazádó, i me há dádó cien Dóláres, despues que ya há arregládó mi cuente en una pequena penzion! i en esta tranquilidád hé podidó a entrár en correspondescia con Apollinaire, i con Trockiy, que desconocidamente tambien hé queridó i respetádó muchó!

56.

– asi hé vividó sin amor, sin querér i sin honor durante largos méses, perdiendome en la miséria confusa i emfermedádes, hasta que el inviernó no pasába! hé pensádó muchó, i ya hé recibidó cartás de Apollinaiore, i del Trockiy demonicó, cartás muy amábles i humánás; hé observádó a esta ciudad enorme, ya hé conocidó su vida, su misériás, su lucir, su mentirás i dolores, entonces entre circunstanciás extránás hé llegádó a conocér a una pobre mujer, que era algó de más edád que yo, i que con trabajó duró ganába su vida, era una lavadéra, que andába con ganastás en el hombró, i asi juntába la ropa sucia, porque era sóla i sin la ayuda de nádie! era un amor, aqui en la ciudád enorme, entre piedrás i máchinás, el amor de un vagabundó i anarchista, por una pobre lavandéra asustáda i mal peináda, entre rascaciélos, hasta donde el aire puró de los Andes no llegába! si puedó describir mi trastornó infinitó con tál palábrás enredádás, quien lo sábe? mis proyectos, misériás, luchás i pensamientós, locurás, i tódó! me sientó trastornádó por completó, si a este puntó llegó; aqui empiezan lás tragédiás, revoluciones i verguenzás de mi vida miseráble, aqui empiezan lás pequénás casuchás aqui por la orilla del már, qui empiezan lás cocinérás, los cuchillos, los viejos peladores de pápás i limpiadores de peces, aqui empieza el vinó, de que ya me hé emborrachádó! tras de tódás sombrás i nieblás ya viene ella, ya viene con su ganastás i baldes, bajo de cásás enormes con su cabéza mál peináda, que vida tan miseráble! miseráble, lóca, confusa, i sobretódó dolorósa, como un recuerdó, que en la realidád ya nunca más volverá!

57.

– ahora ya terminába el inviernó, muchás véces me hé idó por el puertó, i lo hé sentidó, que prontó seguiré mi vágó caminóotravéz! se há idó mi pláta tambien, por alrededor de fábricás i talleres hé vagádó, i unavéz por la manána lo hé observádó, que tras de un carro basuréró anda una multitud de hombres i mujeres, yo mismó tambien hé entrádó entre ellos, i asi hémos llegádó a un gran campó hasta lás colinás de basura; cientos de hombres, mujeres i ninos estában aqui, vestidós en trapos i sacos, perdiendose en la basura donde trabajában i buscában cósás i desperdicios de más valor! con bastones i pálos cortos excavában la basura, i si encontrában algó, lo hán metidó en un sácó, que llevában por la espalda! yo mismó tambien entré a buscár, i porque ni páló ni baston tenia, con la mánó hé excavádó en la basura amontonáda, para encontrár algó, que tenga algun valor! hé encontrádó tambien ropás en demasiádó bueno estádó, i zapatós, que eran mejores, que yo tenia, una máchina de afeitár, i peines, i un monton de periodicós, gazétás i librós, pero me hé ensuciádó tantó, i el olor caracteristicó de la basura entrába a mi vestidó, que para mi mismó tambien era insoportáble! mi pequéna barba tambien estába lléna de suciedádes! hé sidó tambien cansádó, pero me alegrába por encontrár unás ropás i un pár de zapátós, pero mejor me alegrába por lós librós encontrádós, entre que ellos estába La vida de Jesus, de Ernestó Renán, traducidó en inglés, i en bueno estádó! comó hé idó por la ciudád, me hé sentádó delante un gran tallér, para descansárme un pócó! del tallér hán salidó los trabajadóres, entonces por el terminár de la calle se há aparecidó una mujer, llevandó un carritó de cuatró ruedás, lleno de ganastás i baldes, comó cansádamente venia directamente hacia mi! se há quedádó paráda por la cansancion, con una mánó limpiandó su cára del sudor; me hé levantádó, i me hé quedádó parádó delante ella por el caminó; ella se há asustádó, "no tenga miédó!" la hé dichó, "hé venidó para ayudárla, porque no tengó ningun trabajó importante, i hé vistó, que se há cansádó completamente!" hé puestó mis cósás tambien sobre lás ganastás i baldes, i queria ayudárla! entonces ella se há parádó, me há examinádó un pócó, i asi me hablába: "yo vivó lejos de aqui, i tódavia tengó que juntár damasiáda ropa, porque trabajó por tóda la noche, soy una lavandéra, i mi nombre es Ana Ralston! sin embargó si me ayuda, le daré algó para comér, aunque yo misma tambien soy pobre! soy treintaidos ános de edád, i no tengó nádie! vivó en un establó, i le lavaré su ropa de Ustd. tambien! tengó un habitante, a una muchácha pobre, pero que cási nunca está en cása, i para quien tambien yo lávó!" ella sonreia, i nos hémos idó entre cásás i talléres enormes, hasta que su carritó con ropa sucia no se llenába! se há anochecidó, cuandó nos hémos parádó delante la enorme puerta de una cása de madeira, situáda entre valládó de pálos, por la periferia abondonáda de la ciudád;

58.

– "mi nombre es Agrélla," hé dichó entonces, i hé limpiádó mi frente del sudor, "porque estoy en tal miseráble estádó, no crea, que trata con cualquiere ultimó vagabundó; vagabundó soy aun, pero este vagár tiene un distintó caracter! piensó muchó i hé leidó una enormidád de librós, lo que ya talvéz significa algó! hace un áno ya, que estoy en Newyork, aqui hé pasádó el tiempó mál i bien, i prontó me iré por otra parte, yo mismó tampócó sé a donde! vivó en sótanos i en techos, i en los ultimos tiempós hé vividó de desperdicios! si tuviera una váca, viviera de ella! la ordenaria, i la llevaria por los campos a pacer, pero aqui ni campos estan! veo la inutilidád de lás cósás, i me gustaria si Ustd. tambien la viera! pero ya es tarde en la noche, i tengó que irme a busquár un sitió, donde la noche puedó pasár!" asi la hé habládó, la pobre lavandéra me mirába, i há abiertó un gran portón, i encendia la luz! el establó tenia luz electrica i cano de agua! baldes estában por una parte, con ropa mojáda, por sógás otro monton de ropa tendida secába, i en la caldéra água se há hervidó! una cáma estába por el rincon, por el otro rincon-una sofá estába, al ládó de un cajon i lavadéra, descortináda por un trapó descoloridó! ella há aparecidó otravéz, há héchó tódó confusamente, al fin há abiertó una pequéna puerta, i há prendidó la luz! yo sacába mis cósás del carritó, me hé sentidó impossiblemente sució, desde lejos perros ladráron, i bajo lás estréllás cásás enormes oscurecian en la noche!" hay aquui una cámara pequena," dijo ella, me hé idó a vérla, era una pequéna cámara verdadéramente, llena con baldes, caldérás i cósás usádás, etc., "en ella puede dormir, hasta que de Newyork no se vá, yo salgó muchás véces en busca de ropás suciás, por lo ménos habrá alguien que cuidará mis cósás, si no tendrá otro que hacér! esta cámara no es la más amplia, pero hay adentro un lecho, i siempre es más comodó vivir en ella, que andár por tódás partes sin cása i téchó seguró!" hémos llevádó el monton de la ropa sucia al establó, la hémos puestó a los baldes, para que se moje! ella me há dádó a comér, despues vinó una muchácha de cabellos negros, bien pintáda, ni no miró, tosia roncamente no más, i se retirába! ya era média noche cuandó me hé idó a dormir, desde léjos silbában i gritában ruidosamente, i hé oidó, que ella llenába los baldes con agua, i lavába, lavába!

59.

– ante de continuár la descripcion del amor trágicó, bárbaro i fatál, con la lavandéra Ana Ralston, con dos palábrás recordárme quieró de la organización, que en esta ciudád mercantil, llena de mentirás e ideás vánás se empezába, i en que durante mi paráda newyorkina yo tambien hé tomádó parte! esta ciudád enorme ya desde decimos de ános há sidó el centró activó, i asiló de los anarquistás, con respectó a lás posibilidádes de escondér! segun de la palábra entiendó la organizacion subterránea, contra lás religiones, iglésia, estádós i sociedádes, en sótanos i canáles, en depozitós abondonádós i subterráneos; naturálmente, comó tódó, la anarquia i la revolucion tambien hántenidó su avanturéros, pillos i malechores! yo mismó hé llegádó a conocér bien lás cósás, i entre nuestros amigós i bienhechores no solo un alto empleádó, senátor, banquero i dueno de grandes emprésás tomába parte! ellos naturálmente no se hán presentádó personálmente en nuestros reuniones, pero hán conocidó nuestros proyectos hasta el ultimó, i en ellos nos sin exeptó siempre ayudában! sobre i al rededor de nosotrós lás grandes fábricás i talléres, depozitós i rascacielos continuában su vida del "tempo" enorme, yo mismó no podiendó hacér más, para mis companéros hé leidó lás cartás recibidás de Trockiy i de Apollinaire, a cuáles hoy tambien puedó recordárme bien! "la revolucion se acerca," há escritó Trockiy, "junteisvos, que la no encuentra vos indispuestos! unos tontós creen, que lás linternás de lás necedádes sociáles, i de lás dogmás de la religion son inapagábles! aunque echen más aceite en ellás, viene el vientó, i vá a apagárlás! no vos equivoquen ni la tardanza, ni el fracásó de vuestra emprésa! bien conocéis vuestrás fuerzás, la necesidád de vuestros proyectos, en ella no dudó! vos entendéis lás realidádes, i la ocupacion con tál tiburones comó la filozofia, i demás teoriás, ya en el interes de la revolucion tampocó vos recomiendó! "esto me há escritó Trockiy de Viena, i muchás más cósás tambien, de si mismó i de la ravolucion, con lás palábrás sincérás de un bueno amigó! nunca se há olvidádó a recordárse e interesárse por mi suerte personál, la que há tenidó por muy humánó, i dignó a un revolucionárió! me há escritó Apollinarire tambien, al módó siguiente, sobre la situacion del arte: "me hán profundamente conmovidó su lineás, su suerte, i emfermedádes, porque véo, que ellás son fertiles, i sea Ustd. feliz, que en esta suerte i misériás há sidó Ustd. fertil i productivó! entendér el sér i el fondóde tódás artes, es el comprendér verdadéró! navegantes, pobres muchácháś, pastores i capitánes son los apostoles del arte nuevo, con glóriás cláramente visibles sobre su cabéza! la felicidád humána esta verdadéramente léjos de nosotrós, nuestra felicidád es parecidó a la felicidád de los dioses, que nunca puede ser perfectá! por esta felicidád verdadéramente vále la péna a vagár, a sufrir i humillárse; la felicidád esta tras de lós montes de vidrió, en el nombre del arte saludó a Ustd. Agrélla, i le sientó semejante a mi, porque o somos parecidós tódós, o diferentes!" asi me há escritó Apollinaire, esta carta tambien hé leidó para mis amigós, iguálmente que tódás su cartás que de él hé recibidó! por lás noches muchás véces me hán buscádó mis amigós, nos hémos sentádó por el pátió, o nos hémos idó por el establó, donde la lavandéra Ana Ralston trabajába! ella tambien há oidó nuestras conversaciones, mientras trabajába, i nos hémos calládó, cuandó vinó la muchácha cansádamente, pálida bajo de lás pinturás, i sin decir algó se retirába! entonces nos hémos calládó, i nos hémos retirádó nosotrós tambien! sobre lás periferiás de Newyork lucia la luna!

60.

– lo confiesó, yo mismó tambien hé lavádó, ayudába a llevár el carritó, i hé tendidó lás ropás mojádás! la mujer infinitamente sincéra, la lavandéra Ana Ralston despues de terminár con su trabajó se sentába, se peinába un pocó, i asi hémos conversádó! era un pocó más alta que yo, tenia unos ojos tristes i bellos, i si se sonreia, una páz feliz se presentába en su cára! a los librós há entendidó muy pocó, asi yo mismó hé dádó librós para ella, entonces confusa lo há puestó por un ládó, no há podidó que hacér con ellos, aunque leia muy bien, pero de tódó de su ser eran tan lejos estás irrealidádes e ideás, que leendolás no la interesában! sin embargó durante largás horás me escuchába, cuandó hé contádó mis aventurás, mi vagár, mi tóda miseráble e ideás i juicios, con el major interes! ya há conocidó mis amigós, i si no sabia puntuálmente el fin de nuestrás reuniónes, há sentidó muy bien su importancia! nos há dádó comér, i há lavádó la ropa sucia de algunos! algunavéz se há portádó muy confusamente, entonces andába por tódás partes en el establó, i se chocába en los baldes i pilás! era asi, puntuálmente! la muchácha se há idó siempre por la manána sin decir algó, e iguálmente regresába por la noche! unavéz hé si dó emfermó, hé tenidó terrible dolor de cabéza, entonces por la noche me há traidó algun remédió, la muchácha todavia no regresába, ella se há sentádó por al ládó de mi cáma, i me abrazába locamente! despues se há levantádó, i regresába al establó, yo mismó tambien me hé levantádó, i la seguia! se há volteádó cuandó yo entrába, i no podia hablár! se há caidó por rodillás no más, i llorába profundamente, la hé abrazádó, i la hé llevádó hasta la cáma! la hé héchó por mia, entonces pásós hémos oidó, me hé levantádó, i cuandó con cabéza vahidósa queria salir del establó, entrába la muchácha, se parába en la puerta, i empezába a reirse! yo regresába por mi cuartító, hé encerrádó la puerta, al dia siguiente me hé levantádó temperánó, i me hé idó a lás colinás de basura, de donde por la noche regresába no más! cuandó hé entrádó al establó, se temblába, me há mirádó trastornádamente, i lágrimás corria por su cára! era despeinádá, yo parába en la puerta, i la mirába silenciosamente! baldes estában por tódás partes, i pilás, llenás con ropa cálida! "me volveré loca," me há dichó ella, "pero no me importa, me quieras no más! que seria yo sin ti, en mi soledád terrible, perdiendome en la vanidád! casi no puedó trabajár, de la pura felicidád i del temor! hasta cuandó, hasta cuandó? quitate tu ropa sucia, ya la lavaré! verdadéramente tenéis razon, tódó lo que es de este mundó, es insoportáble, tiene que algó sucedér! que miseráble soy, que miseráble! todó Newyork esta aqui, mire! soy tan ignorante, que me páró al frente de Newyork entéró, no puedó decir náda, me asustó i me pongó a corrér! no tengó nádie, ámame, i ensename, porque me perderé sin salvacion! aqui estoy entre la amontonáda ropa cálida, en el establó enorme, cuantos hombres pobres i abondonádós vienen a visitárte, unavéz tódós vosotrós iréis, no me dejéis sola aqui, porque me perderé, me perderé, i mi vida ya no tendrá valor! mujeres suciás i miserábles vendrán por aqui, mozás i servientás de restaurantes, ellás ván a reirse sobre mi, i tódó el mundó se vá reir cuandó me ven, que llevo mi carritó sóla, entre lás cásás enormes en este revueltó i locura!" "entonces me perderé," repetia de nuevo, i llorába silenciosamente, caida sobre su pobre lécho; há venidó la muchácha pintáda, se há parádó, i sonreiase sin decir algó! i dejandonos solos, se retirába silenciosamente!

61.

– con tiempó se há calmádó, i la muchácha tambien, despues de llegár a cása, se há sentádó a un bancó, i mirába con ojos turbios a la oscuridád! ella era una moza en un "buffet," la llamában Luisie Broocks, i vivia una vida demasiádamente revuelta i amorál! sóló hé sentádó por una noche en el establó, cuandó ella há llegádó, era un pócó borrácha, i se há sentádó enfrente! me mirába, largamente, despues su mánó há puestó sobre mi hombro, i asi me hablába: "tengó un amante ricó, que tiene muchó dinéró, i ahora me espera por la calle, váyate, i mátale! somos pobres, tu, i yo tambien! a esta mujer infeliz vámos a dejár aqui, nos irémos por léjos, i te voy a querér! si no te vás, entonces me iré yo, i le traeré por aqui, i pasaré con el la noche!" hé salidó del establó sin decir una palábra, me hé idó por mi cuartó, i encerrába la puerta! la muchácha há salidó, i regresába con su amante, con un guaton de vestidó plomó, se hán queridó, hé oidó su aullidó i suspirár apasionádó de ellos, i se hán banádó en lás pilás, con cochináda ensuciandolás! despues el amante se há idó, entonces ella, asi comó estába en una sola camisagolpeába por mi puerta, hé vistó que era completamente despeináda, i en una de su mánó tiene agarrádó dinéró! se há acostádó por mi ládó, i me há mordidó en los lábiós! la hé agarrádó, i la empujába al suelo, sacába el dinéró de su mánó, i lo hé votádó por tódás partes! desde léjos perros ladráron, entonces hémos escuchádó, i hémos apagádó la luz! ella retirába a su léchó silenciosamente! vinó Ana Ralston, andába por tódás partes, en la oscuridád andába, nosotrós hémos yacidó sin movérnos, entonces ella tambien se acostába! por la manána temprano me hé idó, i me hé sentádó en una bodéga, mi frente hé descansádó en mis palmás, hé héchó por pedázós tódó lo que en mi bolsillos encontrába, librós, apuntes, hasta una carta recien llegáda de Apollinaire! por la tarde cuandó me ré rehresádó, la lavandéra Ana Ralston comidás me há ofrecidó, no tenia gánás de comér, ella se alistába para salir, para cobrár su dinéró! la hé besádó sin decirla algó, i me hé retirádó a mi pequenó cuartó! ella se há salidó, i yo esperába, esperába! desde lejos perros ladráron, i trenes pasáron con profundó resonár! lás fábricás i talleres tambien retumbában terriblemente, entonces hé oidó, que se abre la puerta del establó, i alguien enciende la luz! era Luisie Broocks, se há sentádó i silbába tranquilamente! entonces hé sentidó, que tendria que matár a esta bestia; hé agarrádó un páló de fierró, hé salidó de mi cuartó, i me hé parádó delante el porton del establó! ella se há parádó, i me mirába intranquilamente! "ven por aquá," me há dichó ella, "ahora no está aqui ni tu amante, ni el mió! ningunó está aqui! me duele tódó mi cuerpó, i quieró ser la tuya! tengó dinéró tambien, no tengas miédó! si te resolves, nos podémos ir de aqui! irémos a Bridgeport, o por más léjos tódavia, ya estoy sansádó de este Newyork infernál, ya me há aburridó completamente! ven po aquá!" se há desvestidó, hasta su camisa, há mordidó en mis lábiós otravéz, entonces hé arrebatádó su camisa de su cuerpó! i me há queridó, locamente, hasta que hé sidó lleno con sangre, i mis ojos tamben se hán cambiádó! hé mirádó en un espejo, mi cára era completamente pálida, i de color plomó! entonces asi la hé habládó, apoyandome por la pared,: "me iré, bien, pero que dios te cuide! nos irémos a Bridgeport, pero eres una bestia, una bestia eres, i unavéz te romperé la cabéza, despues no me importará lo que pása! agarre tuscósás, i vámonos!" entonces la muchácha há salidó, há escuchádó, regresába otravéz, i asi há dichó: "esta mujer tiene pláta tambien ensu baulcitó, sacelo, i si quieres puedes dejár tus necedádes, librós i escriturás para ella en cambió!" con una hácha há abiertó el técho del baulcitó, hémos buscádó la pláta, ella há empaquetádó su vestidós, i hémos encerrádó la puerta del establó! ya era tarde en la noche, hémos llegádó al caminó, yo llevába su maléta, hémos escuchádó largamente, era silenciosó por tódás partes, nádie vinó, nádie! hémos subidó a un tramvia, para bajár de ella despues, i hémos llamádó un autó! lás calles siempre hán sidó mejor alumbrádás, más pobládás, comó hémos llegád más al corazon de la ciudád, sin embargó entonces hé sentidó mi verdadéra soledád, sin mis pensamientós abondonádós, sin mis amigós; hé sidó un árbol arrancádó, que tenia que perderse en lás tempestádes i en el vientó!

62.

– todó lo que cuentó, posiblemente cortamente quieró contarles, porque la descripcion detalláda me parece fastidiósa e inutil! con pócás palábrás posible es describir suertes, sin que ellás oscurás o pocó comprendibles sean, mejor dichó, tras de mis palábrás turbiás cualquiera puede sentir mejor el trastornó de mi suerte, la locura i dolor de de ella! durante cortás semánás hémos estádó en Boston, en Filadelfia, i en una multitud de ciudádes pequénás, i en Chicágó, nos hémos alojádó en hoteles de tercera clase, i nos hémos queridó! por lás noches ella me há dejádó sóló, entonces me hé bajádó por una bodéga, i hé esperádó silenciosamente, perdiendó en el humó! en Chicágó nos hémos amistádó con los tipos más basurás de esta sucia ciudád, con individuós cinicós i de cára cortáda, que se presentában siempre en la compania de su rimás sinvergonzósás! estos tipós proporcionálmente mejor hán votádó la pláta, que lo hémos observádó por otrás partes! nuestros amigós siempre peleában, i usában cuchillos, i de lás tabernás nos hán votádó no unavéz! nos hémos idó entonces por otra taberna, i cuandó nos hémos regresádó al hotel, ya siempre se amanecia! muchás véces tenia que acostárme en otros hoteles, por causás muy evidentes! aqui me hé acostádó por una sofá, me hán atormentádó suenos demonicós, i delante mi se há presentdádó el diabló! hé vagádó por tódás partes, i en mi infinita soledád me hán acompanádó mis antiguós pensamientós otravéz, comó viejos amigós fieles! me hé sentidó miseráble i sució, i me hé dspreciádó infinitamente! empezába a beber, i me hé abondonádó otravéz, andába mál afeitádó, i me hé sentidó un hombre miseráble i canalla, canalla i miseráble hasta lás raizes! sin embargó continuába mis amistádes en esta compania canalla, donde me hán invitádó muchás véces, que hable, i que salve a este mundó perdidó! por rimás sin verguenzas fui yo rodeádó, qu por la madrugáda muchás véces me hán escupidó, ensuciandó mi barba veneráble! entonces nos hémos idó con una gran vuelta a Bridgeport, Luisie Broocks tenia escalofrio, se há quedádó a fuera hasta lás tardes noches, i se há presentádó por la madrugáda no más, parecida a su propia sombra, con ojos hinchádós, i de cára pálida! el diabló ya se há metidó en mi sangre entonces, hé usádó palábrás vulgáres i suciás, que hasta a mi oidó hán parecidó desconodás! hé empezádó a bebér, i mis antiguós pensamientós otravéz me hán acompanádó! en tabernás marinós hé esperádó a mi hembra miseráble, durante lás noches de humó i de trastornós azules! marinéros me hán rodeádó, i en una noche, entre lás paredes manchádás i sobre los manteles ensuciádós me hé despertádó, que lloro amargamente! porque hé llorádó, porqué? con cabeza confusa me hé levantádó, hé pagádó, i hé salidó de la bodega! que en esta noche terminaré con tódó, lo hé decidídó! desde léjos, despues de largos méses se hán aparecidó en mi recuerdó mis antiguos amigós otravéz, mis librós queridós, mi gran soledád fructifera, i mis pensamientós! i sobre tódós la pobre lavandéra Ana Ralston, entre su baldes, lejos de mi vida miseráble, i muy cerca por ella aun! ya vagába entre cásás enormes, trastornádamente! habia un gran vientó, el vientó vinó desde el már! de mi barba descuidáda goteába tódavia el escupir de lás mujeres canallás, mis bolsillos hé volteádó, i hé votádó tódó mi dinéró, lo que en ellos encontrába! comó asi adelantába, llorába, i mugia compasivamente! mugia comó un perro! i el vientó silbába desde el már!

63.

– comó asi yo adelantába, hé vistó cláramente, que bestiás enormes siguen mi huellás, enormes bestiás ascósás, que llenan tódás lás callés, i pásan sobre los automoviles i tramviás, mugian terriblemente, i me seguian en mi caminó hacia mi hotel! yo era ya trastornádó, hé empujádó la puertó del cuartó, Luisie Broocks estába sentáda al ládó de la mésa, média desnuda, i limpiába su unás! en la cáma un hombrecitó calvó yacia, con cára de canallás, tódó el cuartó era lleno de humó, i por tódás partes botéllás vaciás yacian! hé tenidó vajidós, i temblába en tódó mi cuerpó! "eres una puta vulgár, que me há llevádó ya hasta lás puertás del infiernó!" gritába, i usába palábrás suciás, porque ya era yo borráchó, i trastornádó completamente! "hé sidó canalla, ladron, hé abondonádó por ti mis pensamientós fieles, mis librós, i amigós, ya bestiás terribles siguen mis huellás, a donde me hás queridó a llevár! eres una puta vulgár i miseráble, i la suerte más terrible vá cumplirse sobre tu vida!" la muchácha se reia con ronca voz, el viejó tambien se há despertádó en la cáma, há levantádó su cabéza calva, i queria de la cáma salir! le hé agarrádó, i le tirába por la pared! Luisie Broocks se há levantádó con cára pálida, temblandose en tódó su cuerpó! "vás a perderte" hé gritádó de nuevo, "ahora yo me voy, i dejaré contigó mis bestiás oscosas, tódós mis pensamientós i suciedádes dejaré aqui contigó, para que tódás ellas te aniquilen! yo me voy ahora, i buscaré mis antiguós amigós, mis antiguós pensamientós, librós i apuntes, buscaré los enormes montes de los Andes, i si será necesárió, mi antigua miséria i luchás tambien buscaré; buscaré los enormes montes de los Andes, a la lavandéra Ana Ralston, a mi pádre, i le ayuderé para ordenár lás vácás, porque serviente es el pobre, i el tambien há sidó humilládó! buscaré mis librós antiguós, i andaré vagandó, regalandolos! i dejaré aqui contigó mis bestiás, que ellás te vuelven loca, i que ellás te aniquilen, comó tu me hás perdidó i aniquiládó!" me hé bajádó por la calle, allá yacian en la oscuridád mis bestiás oscósás, no hé tenidó ni un centávo, entonces ya se há amanecidó, ya andába por los caminós en el aire cálidó, me hé sentádó en los fozós cansádamente, despacitó se há oscurecidó otravéz! hé pedidó a comér en garajes, i lavába autómoviles! febrilmente hé corridó por adelante! me hán dejádó a subir por un camion, ya se há aparecidó Nuevayork, con su rascaciélos enormes! los monstruos i bestiás se hán quedádó de mi ládó, ya hé corridó por lás avenidás, i gritába sonoramente! ya era yo rotósó otravéz, i de barba descuidáda! mis trapos eran sucios, i hediondos! me hán tirádó de un ládó por el otro, vendedóres de periódicós gritában, hé corridó entre autós amontonádós, entre bodégás i tabernás conocidás, i en lás plazás predicában! fábricás i talléres illuminábanse, trenes corrian sobre puentes levantádós, vapores renian desde el puertó, hé corridó insensátamente, ya hé llegádó hasta los campos de lás periferiás, i desde léjos ya hé vistó la sombra del establó por la luz de la luna! me hé sentádó al ládó de un fósó, i empezába a llorár, dolorósamente! me hé levantádó despues, i golpeába por la puerta del establó, habia un silencio espantósó, náda i nádie! por al rededor náda se movia! hé golpeádó por la puerta de mi pequéno camaróte tambien, silenció! hé regresádó al caminó otravéz, me hé sentádó, i esperába! entonces hé vistó, que en la oscuridád estan acercandome lós enormes monstruos oscosós otravéz, se sientan a mi ládó, i se esconden en lás sombrás de los árboles i del establó!

64.

– muchós hán pasádó por allá despues, que me hán mirádó, i segun mis preguntás me hán dádó lás contestaciones, que la lavandéra Ana Ralston, a quien ellos tambien hán conocidó, ante de unos méses, se há vueltó lóca entre extránás circunstanciás, i despues se há muertó aqui en el establó! me lo hán mencionádó, que en los ultimos tiempos ella se há portádó bien extrána i confusamente, pero su locura há sidó solamente entonces evidente, cuandó lós obrérósse hán idó al establó para buscár i reclamár la ropa laváda, i la hán encontrádó al ládó de lós baldes i caldérás, lavandó libros sucios i rotós! cuandó la hán habládó, mirába con ojos turbios no más, i ni contestába! lós obrérós hán llevádó la ropa de ella, pero habian algunos que se hán quedádó, i hán vistó, que a los librós, despues de lavárlos, pone a secár, i a planchár despues! desde este tiempo naturálmente nádie la há encargádó con el lavár de la ropa sucia, i ni la hán vistó para salir del establecimientó! lás persónás, que delante el establó por el caminó hán pasádó, podian observár su portár extránó, comó de ciertós librós cosás confusás lee en voz sonora! unavéz, por la noche, cuandó una junta de obréros há pasádó delante la puerta del establó, hán vistó que tódó el establecimientó está iluminádó, con lás puertós i portones abiertos, los obréros hán entrádó, i la hán encontrádó en un balde enorme muerta, en lás caldérás la aqua se hervia, lós librós estában votádó por tódás partes, mojádós i completamente descoloridós! asi me hán habládó tódós, i se hán retirádó! yo mismó tambien me hé levantádó, con una tranquilidad mortál, hé vagádó por tódás partes, me iba a lás colinás de basura otravéz, i lás noches hé pasádó en los bancós de lás periferiás de la gran ciudád! lás enormes bestiás ascósás me hán seguidó incansáblemente! hé estádó por la calle otravéz, pero esta véz ya sin energiás de luchár, con lás bestiás terribles por mi huella! hé escuchádó sermónes por lás plazás, hasta que hé llegádó a tenér ascó de ellos, entonces me hé idó al puertó, i me hé escondidó bajó de unos cajónes enormes! me hé alimentádó de frutás votádás, ya era primavéra, entonces me hé decididó que subiré por algun vapor, i regresaré por bajó de los Andes! hán venidó buques, hasta que en unó de ellos me hán empleádó comó fogonéró! trabajába, en el aire cálidó e infernál de lás caldérás, pero cada dia llegába más cerca a los montes libres i frescos! en los puertos me hé encontrádó con conocidós, que me hán convidádó, navegantes antiguós, i cuandó hé llegádó al puertó de V. i cobrába mi sueldó, me hé desembarcádó! me hé alojádó en téchos, i en los priméros tiempos con nádie me amistába, aqui por los montes i cerros cercános vagába no más, i llegába conocer a los ladrónes! vivia juntó con mucháchás, el diabló ya se há metidó completamente en mi sangre! las bestiás no me hán dejádó por ni un momentó! visitába los bordeles, i hé levantádó los papeles votádós por la callé, para leerlós! hé sidó tál comó una sombra, silenciosó e inutil! pero hé vistó mis antiguos amigós, mis pensamientós, i librós antiguós, mis amigós i amantes, Trockiy i Apollinaire, escribiendome cartás por direciones desconocidás, i a Marinetti, recordandose de mi! hé vistó a Ana Ralston tambien, lavandó mis librós, i muerta en un balde enorme, en el médió del establó iluminádó! i tódó esto me há calmádó, i hé seguidó pensandó, entonces hé creádó para mi propió usó la mápa del mundó nuevó, hé escritó un montón de versós i folletos, una gran novéla i váriás obrás dramáticás en bosquejo! en estás obrás queria yo ensenár para la humanidád la tristéza, la inutilidád i ridiculéz trágicó de lás cósás, i talvéz hé podidó tambien ensenárle estás, porque la inutilidád, la tristéza i ridiculéz trágicó ante tódó en mi mismó se encuentran lo más perfectamente!

65.

– asi! ahora véo tan oscuramente lás cósás, talvéz lo hace el vinó que hémos tomádó durante este largó tiempó! ahora venian acercandome jóvenes desconocidós, que me hán escuchádó en bordeles, en vineriás i en depozitós abondonádós, en téchos i en pobres cocineriás, a donde de pocó a pocó me hé recordádó a mis convicciones i juicios antiguós! que juicios descoloridós, i pobres convicciones! ellos me hán acercádó, de pocó a pocó levantandose del olvidó; ya hé podidó hablár extránamente, ya cási hémos vistó lás bandérás colorádás de la revolucion, pero cantó mejor lás hémos acercádó, tantó descoloridás i rotózás hán parecidó ellás! juntábamos, siempre en másás más grandes! mis antigós amigós, ideás, librós i juicios se sentában a mi ládó, i me hán acompanádó por los bordeles, techos i cocineriás, por tódás partes! mis lejános amigós cartás me hán escritó otravéz, navegantes me hán conocidó, i me hán convidádó! por donde pásó, me ensenan con dédós! los mucháchós de la calle me tiran piedrás, i enormemente se alegran, si me presentó en cualquier barrió! llevo conmigó mis juicios, i una gran armáda es, que en la oscuridád ya me acompána! aqui están mis buenos amigós, aqui está Brumárió, Smirnov, Walton, Toró, i Droget, aqui están los mucháchós de la calle, los ladrónes de los cerros, lavandérás i marinérós, aqui están i esperan mis juicios! aqui estan i esperan, parádós en larga linea por la orilla del már, que yo les acláre la religion, los dioses, lás diferenciás sociáles, lás misériás, etc., porque tódós mis amigós, i tóda la armáda que me sigue bien sába su mision histórica! mis amigós ahora me esperan por aqui, Droget es un musicó, Brumárió un pintor es, Walton es un poéta, i Smirnov un agitador, i revolucionáriós son tódós! mireis, tódós estan aqui! tódós mis buenos amigós, Smirnov, Droget, Brumárió, en el frente de mis enormes armádás, miréis...

i Agrélla ensenába a travéz de la ventána abierta, hacia la larga orilla del már! el duenó de la agencia funerária J. Cristincovich, i el carnicéró H. Cortéz se hán levantádó, i tódós hán salidó de la pequena casucha! lás cocinérás, i los viejos peladores de pápa tambien se hán levantádó, i seguian a los demás! la orilla del már era abondonáda, vaciá, iguálmente eran vacios lós papeles, que Agrélla votába de sus bolsillos, el már yacia silenciosamente enla infinita profundidád, locomotórás de trénes silbában no más por al rededor de lás estaciones, además tódó era silenciosó i completamente abandonádó!

66.

se hán descansádó entonces, hán bebidó, i lás botéllás vaciás de vinó hán tirádó por el már! era una extrána noche maravillósa, lás parédes de la pequena casucha se temblában en el vientó, lás cocinérás se hán sentádó al umbrál, i con cuchillos en la mánó se quedáron durmidás! lós viejos limpiadóres de peces, tambien hán salidó ya, se há vistó evidentemente,que tódós son cojós! entonces en la ventána abierta de la pequéna casucha una cabéza pálida se há presentádó, saludába silenciósamente, era B. Mc. Kennedy, el baylarin! Agrélla se há asustádó, peró el entrába i se há sentádó en un bancó, al frente de ellos, silenciosamente! há parecidó muy tranquiló, un cigarilló cortó ardia en su boca, i tenia su sombréró puestó!

– este es B. Mc. Kennedy, bailarin del danzante Pacific,

há dichó entonces Josó C. el dueno de la agencia funerária, el baylarin fumába su cigarilló silenciósamente, abrigádó con su sobretódó, con fuegó extránó en su ojos, i limpiandó su unás a véces!

– bailarin i lavador de cadáveres,

seguia el dueno de la agencia de entierros,

– que hombre tan extránó! nos hémos conocidó en la taberna llamáda La Morgue, donde cósás extraordináriás i sorprendentes me há contádó, de su propia vida, i de la vida de su amigós! tóda la orilla es tranquila, por dónde há andádó por aqui Kennedy?

há preguntádó!

– cósás verdadéramnet extránás hé sentidó hoy en la noche,

dijó el bailarin, silenciósamente fumába su cigarilló, i tranquilamente asi continuába:

– cósás verdadéramente extraordináriás! en esta hora temprána cuandó hé salidó del danzing, hé oidó, que a un cadáver votába el már por la orilla, me hé idó a vérlo, era un viejecitó con pipás tódavia ardientes en la mánó, era una cósa insignificante! entonces, por lás orillás hé vistó un tumultó enorme, en la oscuridád, bajó la luna luciente! se hán desaparecidó! despues comó si ninos hubieran cantátó, i hé oidó bestiás i fierás tambien; no creo, que hubiera sidó halucinacion,

dijó silenciosamente, i se quedába calládó!

– asi hé llegádó por aqui!

lás cocinérás ya durmian por el umbrál con cuchillos en la mánó! entonces Agrélla, en su vestidó rotósó, i de cára pálida asi hablába:

– ahora, comó ya hán oidó la história de mi vida miseráble, la continuarécon mis juicios, pensamientós, i convicciones! tódós estámos aqui! soy emfermó tambien, i tengó fiebre! comó si oiria tambien musica de algun sitió! que turbia es la vida, turbia i extrána! oigan entonces! aqui estámos tódós, mis amigós lejános tambien estan aqui, tódás mis tropás, Trockiy, Apollinaire, Marinetti, la lavandéra Ana Ralston, i mis buenos amigós tambien aqui están, para que me dén testimónió, i yo tambien testimónió les pueda dár! oigan entonces! destierró! muerte, i locura! genió! que suertes tan cumplidás! amor, i juicios! a este lavador de cadáveres há parecidó, comó si ninos hubieran cantádó! verdadéramente, los ninos cantan!

ya hablába confusamente, ya era borráchó, con la lláma turbia i apagáda de los emfermos, en su ojos! temblába, i empezába de nuevo, atormentádamente:

– los ninos

cantan! aqui estan, juntandose, los tribunáles, lás clases sociáles, lás injusticiás, lás miliciás, para que yo pueda juzgár sobre ellás! aqui están: la sistéma familiár, la virgenidád, lás moráles; la iglésia, con bandérás i bibliás, la história, escuélás, lós cincó continentes, i hasta el universó! cuentos son, i necedádes! aqui están el heroismó, la cultura, lós reyes, los generáles, arzobispos, doctóres, cienciás, los hombres grandes i poderósós, etc,

i ya con los punos la mésa golpeába, locamente i con asombrósó mugir:

– i sobre tódó, para que yo pueda juzgár sobre él, aqui está el dios tambien!

67.

Agrélla entonces asi lo continuába:

– los ninos cantan! los ninos cantan, verdadéramente, pero no solamente los ninos cantan, sinó cantan los adultós tambien, canciones religiósós o de revolucion; la história aprendémos tambien de versós, ilustráda con cuentós i mentirás sociáles, en lás escuélás, donde si la sabémos bien, clasificacion buena, si no la sabémos bien, clasificacion mála recibimos del severó maestró buenó! lós heroés con cien orós en el bolsilló atacan al enemigó, llevan espuélás de óró, i su barba de ellos llega hasta el suéló! legendás de hembrás histéricás, i el vagár durante siete o treinta ános de una junta de pillos borráchós, segun mi, no es siempre un báse, sobre que el amor por pátria se pueda levantár! lás cósás, que nosotrós bajó del tituló de la "gran história universál" conocémos, son mentirás ridiculás, i cuentós para mucháchós creténos, versos i epigrammás, que se hán nacidó en la cabéza de freires maricónes, i en la de maestros piojentos!

– guerrás, educaciones, i civilizacion,

continuába Agrélla, con una sonrisa cinica por los lábiós, con una sonrisa cinica i triste, la que a él tal bien caracterizába:

– de estás necedádes fluye lo que me há ocurridó en esté momentó! esta conocidó, que en estos tiempos virgenes inocentes i matrónás religiósós i patrióticás estan ajuntandose bajó la bandéra de una sociedád propagativa, sobre que bandéra la siguiente esta escrita más o ménos: "lucha contra los nacimientós limitádós"! esta bien! hay librós i follétós por docéna, que nos dán cuenta de millones de ninos i mucháchós, para que bien lo comprendámos, librós i follétós propagativos de lás llamádás sociedádes, que nos dán cuenta de los siete millones de mucháchós, que viven unicamente en Rusia, que viven en plena perdicion, sin educár, rotósós, hambrientós i en pléna ignorancia! no lo sé, que verdadéramente como están lás cósás! pero si asi están i si creémos a los librós i follétós propagativós del nacimientó elimitádó, que maldád infernál se necesita para aumentár el numeró de estos infelizes! hasta la secunda mitád del sigló XX. imposible es imaginárnos otró tipó entre estos ninos abandonádós, que emfermos, miserábles, ignorantes, rotósós, i desesperádós, frente a unos miles de ninitós vestidós de séda, i ninitás de cára de ángel! sin embargó, viendó esta horda de millones de vagabundós pequenos, involuntáriamente tambien asi aclamó: que magnificó est, que magnificó! ellos forman la armáda futura, la armáda decidida, sangrienta i loca de la revolucion! porque alistárse para una lucha enorme con mápás i canones, trompétás i nábos, hoy dia ya es imposible! con bestiás, con pobrétes sin civilizacion es posible no más, con lócós, con miserábles, i con peste! estos siete milllones de pequenos vagabundos forman a nuestra armáda, que en numero todavia siempre se agrandece, hasta que al fin llenará el mundó!

68.

– los ninos nacen con barbás, con barbás colorádás, i llevan una tristéza infinita en los ojos! que terrible es nuestra epoca, i que perdida es la humanidád, si los ninos nacen barbádós, i los anciános baylan charleston i black boottom! que contradicion, i que cumplimientó! jazz, rádió, i motorbiciclétás! muchó me agrádan! de algun módó nos hacen sentir la velocidád, el unicó valor de nuestró sigló! existen naturálmente castrádós pensionádós e impotentes, que atacan tódó, i en generál tódó atacán, pero absolutamente no con tál ataque febril, que merece tódó, que verdadéramente vále la péna a ataquár! la máchina de escribir esta servida! esta servidó el rádió tambien, lo podémos comér, iguálmente podémos a comér el spiritismó tambien, juntó con demás cocodrillos! lás iglésiás ponen trampa para los creyentes, semejantes, comó para cornéjás, i ratones se acostumbran a ponér! con palábrás dulces comó el miel los atraen, i cuandó uno de ellos se muere, no los entierran hasta que segun su situacion economica no pága una suma por la celebracion del entierró! que extráno es, que el bautizó en un sóla calidád es celebráble no más, hasta que el entierró celebráble es con novicios, con canonigós, con coches de I. II. o III. calidád, con dos caballos i con cuatró caballos otravéz, con canciones cortós o largós comó una cuenta de sastre, no pagáda ya hace muchó tiempó! del parte del estádó lás religiónes e igléziás gozan una tolerancia extraordinária! un freile, sea miseráble, ignorante o desvergonzádó, nunca es atacáble, sin que los ataca, no sea castigádó por la justicia, o por los jedes en el empleó! a lás igléziás hacen a pintár, i dorár, hasta que lás escuélás i hospitáles con pequénás ventánás suciás se avergonzan médió arruinádós! i los creyentes despues de salir de la iglésia, se sientan por lás mésás de lás tabernás, hasta que no se emborrachan i se emfarman en su cuerpó, despues de emfermárse i emborrachárse en su alma!

        – entre mis apuntes encuentró la ridiculéz de los anuncios funeráles!

há

continuádó Agrélla, registrandó su bolsillos,

                        – escuchenme, ahi tengó un anunció funerál, lo que para Ustds. voy a leér, comó modéló perfectó de tál ejercicios estiláres! escuchenme: "la direcion de la Co. Ltda. de la fábrica del Salchichon Nacionál con corazon quebrádó anuncia, que el EXCELENTISSIMÓ senor don N. Molatra, consejéró del gobiernó, profesor de la Universidád de San Marcó, director generál de la Co. ltda. de la fábrica del Salchichon Nacionál, antiquó miembró de la Deputacion, senátor, capitán pensionádó, director de lós Bancos del Ladron i del Gran Ladron, etc, etc, en el dia 13 del més corriente entre dolóres i sufrimientós largós se há muertó!" i por finál: "el era un luchador entusiasmádó de la fabricacion del salchichon nacionál, i su muerte es una perdida pesáda para ello! SU RECUERDÓ VIVIRÁ EN NUESTRO CIRAZON ETERNAMENTE! el pobre senor don N. Molatra se há muertó, aunque era un luchador entusiasmádó de la fabricacion de los salchichones nacionáles! pobre senor don N. Molatra, heroé i dueno de tódós los salchichones! su muerte es una perdida irreparáble para los csanchos i burgéses de la pais! tenia que cuantó abondonár, i su suerte comó se há cumplidó, sin ironia puedó decirlo! evidentemente, há sidó enterrádó entre circunstanciás lujósás, yo mismó tambien la hé vistó, i seguramente há sidó distinguidamente aceptádó por el otró mundó tambien! há recibidó una rezidencia al ládó del huevo izquierdó del Senor, i pasáje libre para tódás lineás ferroviáriás del ciéló! sn. Pedró, comó un portéró bien educádó, honoráblemente le saludába al entrár; ante la puerta enorme tódavia há vistó unos pobrétes i salchichéros nacionáles rotósós, que sin tener buenás relaciones, nunca podian entrár al ciéló, indudáblemente!

69.

– estás cósás, aunque séan aparentemente ridiculás, son cósás muy trágicás i fatáles,

há

dichó Agrélla, hán bebidó, i un pócó hán calládó,

– son muy trágicás i fatáles, porque se puede vér hasta su raices! que magnificó es, há sidó encontráda la hijita del senor consejéró! la muchácha romántica, que há sidó buscádó por su infelices pádres hasta en la cása de citás de la cabróna senora Soledád, entonces la muchácha romántica de 18 ános há sidó encontrádá por la policia, entre los zarzáles del parque de la Gran Batalla de A. en la compania de un jóven bien plantádó, a las 11 de la noche! en la policia la hán cuidádó i naturálmente enseguda avisában al senor consejéró i su dona esposa, que venian i felizmente lleváron por la cása la muchachita de naturalésa tan romantica! en esta pequéna história más ó ménos ya hé juzgádó sobre la morál miseráble e hipocrita de la clase burguésa! los senores consejérós naturálmente despues de esto tambien por la miséria más despreciáble de nuestra sociedád ván a declarár la prostitucion, i tendrán cuidádó, que en la mánó de la muchachita de genió tan románticó no encuentren fuera de cuentos de hádás i carajjos náda más! ella naturálmente con ascó i con despreció vá a evitár tódó encuentró con la hija del portéró, que de un módó extráno há llegádó a tenér un bebe! pudrida es esta sociedád mi senores, pudrida hasta su raizes, i no es dignó para la muerte tampócó!

– esto es el reinó de lás familiás, el reinó de los cangrejos, de la virgenidád i del honor burgés, el reinó de los vestidós blancos de baile, e irrigatóres, hasta que los ojos ven! i todavia más por allá, hasta los montes de vidrió, donde ya tódó termina! infinitamente quieró i estimó a los pobres, e ignorantes, no a los tontos, sinó a los ignorantes! hé vividó entre más o ménos buenás circunstanciás, cuandó hé tenidó que a comér, a donde dormir, i libremente hé podidó ocupárme con mi pensamientós! algunavéz entonces, cuandó me hán traidó a comér en el tiempó, cuandó el serviente náda recibe, mi miráda se há encotrádó con la del serviente! no hé podidó la comida consumir! en un bordel, donde siempre me pueden encontrár, hay un rádió, comó propiedád de la cása, compráda indudáblemente por la comunidád de lás mucháchás! por lás tardes, cuandó por costumbe me hé presentádó en el circuló de ellás, siempre lás hé encontrádó entreteniendose con el rádió! habia aqui una cocinéra de edád, que tóda su vida há pasádó en distintás cocinás, entre cocinár, lavár plátos i limpiár carne, perdiendose en pléna tritéza e ignorancia! porque verdadéramente para tal servienta fuera de lás caserolás i plátós, sopás i carnes en salsa verde, que otra cósa puede existir? entonces hémos sentádó con lás mucháchás, escuchandó el rádió, cuandó para una de ellás se há ocurridó a llamár la cocinéra, porqué hémos oidó una musica delicósa! la cocinéra entrába con pásós cortós, porque cási no podia andár, i quedába paráda en la puerta! despues se há sentádó, i escuchába la musica, silenciósamente; sentába i se descansába no más! cuandó terminába la musica, se há levantádó, i há salidó despacitó, regresandó por lós plátós i cazerolás; i empezába a pelár pápás, i preparár la comida!

70.

– de la vida de los gran hombres, i de los mithos quieró decirles dos palábrás ahora,

con–

tinuába Agrélla i há puestó su sombréró rotó sobre su cabéza! era un pocó cansádó i triste, i su ojos extránamente brillában! los demás perdianse en la oscuridád, i en lás sombrás de la cocineria! el vientó silbába desde el már,

– de la vida de los gran hombres, i de los mithos! H. G. Wells escribe unás lineás sobre la vida i persóna de Marx, escribe que Marx era emfermó de higadó, su pezcuesó era ascósamente hinchádó, i siempre andába mál vestidó i sució! oh que verdád es eso, que verdád i humánó! si no era asi, no importa, pero tenémos que aniquilár el mithos de la grandéza de lós filózofos, de los heroés i profétás, porque la humanidád futura a ellos asi nunca comprenderá! que seria, si alguien, despues que me hé muertó, inventaria, que Agrélla era un tipo altó, siempre llevába sombrérós de terciopéló, a andába bien afeitádó i con monóculó! que figura harian de mi sincéra persóna, que figura tan ridicula! porque verdadéramente de esté módó que figurás tan tan pobres i muertás hán sidó Mrax, Napoleon, Goethe, gran reyes i aventurérós, i el mismó Lenin tambien, con su cadáver tendidó sobre tóda Rusia, i sobre tótó el mundó después! los hacen a vestir en mentirás, i ridiculézes, al lugár de hacérles vestir en profundidádes trágicás, en locura i ecivocaciones! donde i cuandó se hán nacidó estás figurás, en que reuniones confusás, en que cuarteles i penitenciáriás, quien lo sábe? tóda la história esta llena con gran hombres perfectós, con martires i geniós perfectós, los que no son más, que mentirás perfectás de la perfecta estupidéz i necedád humána! hasta la figura del dios es tambien perfacta, la figura de cualquiere de ellos! cuantás casualidádes se escondes tras de la vida de estos gran hombres trágicós, cuanta casualidád, ignorancia, mál pasó, ódió, i malavolencia, que les hán héchó por grandes i trágicós! ódió, asticia, ignorancia, malavolencia, i vergüenza, llenáda de algó extráñó heroizmó eruptivó, que a pesár de sus necedádes en tódós se puede encontrár! amor i equivocaciones! infelicidád, i soledád infinita! son figurás romanticás! reconoscó i decláro la soledád i abondonó del genió, del mismó módó que el heroizmó cobárde, i locura de ello! pocós son, que tódó esto pueden comprender! maestros i directores de escuéla, militáres i freiles en estás preguntás son completamente desorientádós, i fácilmente no son capáces contár con lás consequenciás! para comprendér una vida, cuantás cósás tenémos que imaginárnos, cuantás dudás, casualidádes, pénás, odiós i desatinos! para que falsificár vidás humánás, dandó ejempló con estás falsificaciones para ciertás clases sociáles! mentira es, que la humanidád ejemlos necesita, i si tódavia asi lo fuera, entonces tampócó necesita tál figurás miserábles por ejemplos; de tál miserábles figurás mithicás unos payázós de circó serán, tontós serán e impotentes, detronozádós, i deseperádós! despues de su caida tales son ellos, comó los Tonys i payazos del circó, pero a nádie ya conmueven, i al fin ya solamente fastidian i molestan a unó! verdadéramente, Marx era un emfermó de higadó i tenia su pezcuesó ascósamente hinchádó, era sució, sin embargó vivirá durante más tiempó que Tolstoy o Ghandy con su capás honestás, i dividir de bienes! limpiémos el cadáver de Lenin

de la pintura, i presentémolo comó un hombre emfermó, trastornádó, ofendidó i trágicó! además era tambien hambrientó! era hambrientó, i há héchó una revolucion! por consiguiente há despertádó la humanidád, i al fin se há perecidó comó tódó gran génió se perece, que ya há complidó su no humánó, sinó divinó mandátó! salvémos a Lenin, i en generál a tódó gran hombre de la puréza mantirosa!

71.

– tras de tódás teozofiás e indiscreciones aqui está la realidád de la muerte,

continuába

Agrélla, i secába el sudor de su frente,

– el mithos de la muerte, que tiene su raices en el mistérió de lás religiónes pagánás! una eternidád, que ofrecen lás religiónes por lás mentirás i pecádós de unos ános miserábles! ahora ni piensó a los sermónes hipocritos de los freiles! si alguien ve tras de lás horizontes limitádós, puede observárlo, que existen unos literátós dilettantes i hembrás exaltádás, que entran en comunicacion indirectó con espectrós muertós, i tratan con ellos comó con unós canáriós! además voltean su ojos, i piden consejos de sábiós sabidós, i iglesiásticós piadósós, al lugár que se volverian a unos especialistás de nervios, i se harian a colocár en lás clinicás! escriben librós, llenos de tonteriás i necedádes! hay estós librós tódó, lo que "bello i elvádó" es, "peró" los unicamente los "elegidós" pueden comprendér! hay en estos librós espectró del pádre, Nepumoc, mánó invisible, etc, comó en la Coney Islad, iguálmente! los buenos burgéses que puedan hacér dalente tantás pruébás, "en esto sin embargó debe sér algó" dicen! la sociedád burgésa es muy fácilmente enganáble! disponiendó sobre una necedád infructifera, forma cási una pared trasrompible delante tódó peligró! la sociedád burgésa educandose en el genió de la ley, del militarismó, de la religión, i de la morál, naturálmente forma el báse de tódád estás tonteriás! el cléró, además los militáres i los empleádós del gubiernó son inofensibles, i en el cásó de una ofensa comun infinitamente reservádós! tódó esto naturálmente se puede encontrár en el Gran Mundó de los Animáles del profesor Brehm, juntó con la descripcion de demás cualidádes de ellos!

– ante de empezár la discusion sobre el genió i locura, tengó que dár a publicár el papel del cléró dentró de su propiás iglésiás, i su proporcion de ellos hacia el estádó, i hacia lás calses sociáles! tratandó de cósás criticás i gráves, tengó que declarárlo, que hablandó de empleádós de iglésiás, me ocupó no solamente con los de la iglésia católica, sinó con los de tódás iglésiás hasta ahora, i en nuestros diás tambien existentes! la lucha odiósa, con instrumentós ordináriós i despreciábles, con hipocrecia i con mentirás, penetra en el genió interior de esté cuerpó de ejercitó geniálmente compuestó! existen unás ordenes, comó lós jesuitás, que son lós embustéros i enganadóres de la sociedád burgésa, algunavéz oponiendose hasta con lás dogmás i teoriás de la misma iglésia católica! ellos crean un ejercitó de terror i de odiós; unás doctrinás, comó el asesinátó de los imperatóres, el engánó en los impuestós, el sobornár de la amante del juez, descenden ed ellos! estás docrinás de la vista de la morál burgésa son evidentemente immoráles i danósás! esta orden há asesinádó pápás, i habian pápás, desdendidós de la misma orden, que consentian el asesinátó de unós imperatóres! la castracion de ninos, tóda la inquizicion, el castigó de muerte de los hereges, son ataques evidentes contra la sociedád burgésa! anarquistás son ellos, anarquistás de la religion, enfrente de la tropa imbécil, inocente i passiva de los demás ordenes de la religion! son lós enemigos más inexorábles, que tienen fines secrétós, pero muy conocidós delante unás persónás! el cléró judió es retirádó, que vive para su tradiciones antiguas, esperandó la llegáda de un salvadorcon bastante dinéró! lós freiles orientáles son unos mágicós, que se ocupan mayormente con politica; los ásiaticos son misticós, i los de lás religiones africánás ni suman i dividen! en fin, si asi lo tomámos el dios esta muy abondonádó i sóló, su freiles de el se ocupan con cósás muy diferentes i a él no interesádás, i solamente malogran su reputacion divina! no sirven para más, i seria mejor para el, si absolutamente no existirian! su existencia de ellos sirve unicamente para nosotrós, que esperámos la caida de este idoló ya tan exasperádó i abandonádó!

72.

– genió i locura! ideás confusás, sociedádes revueltás, ideáles de emfermedád de higadó, tódás estan aqui, i pásan delante nosotrós, aqui estan lás moráles, equivocaciones i maldádes, cuantó perdonár se necesita para que el hombre lás comprenda!

Agrélla un pócó quedába pensandó, i cubria con su mánó su ojos, sudába infinitamente, cansádó de la fiebre! casi se há caidó del bancó, tan mál se há sentidó! con dos mánós tenia que agarrár la mésa, para que no se caiga de su sientó! entonces lo há empezádó de nuevó, con sudor pálido, i lucha infinita, asi:

—   tengo
escalofrios, asi lo sientó que tengó que irme por algun sitió! tengó que retirárme por
lás selvás, i dejár este malográdó puertó, i rimás, i descansárme bajó de un árbol entre
los zarzáles, para que me mejore! mi sangre se há ensuciádó, i ya ni andár puedó! mi
penis se há inchádó, iguálmente de mi garganta, i pezcuesó! mi buenás dudás,
pensamientós, i bestiás mansás me acompánan fielmente otravéz! que se pierda tódó
el mundó, esta cocineria miséria, el már, lás cocinérás, los muertós, i tóda la gran
ciudád de Newyork que se pierda! que se pierda el puertó de V. tambien, que
cumplimineró tan miseráble, tengó que perdér comó un ultimó perró! los servientes
andan vestidós de seda, i viven bien en lás cocinás del duenó, el hombre trastornádó
anda en trapos sucios, come en cocineriás misérás, i se pierde en lás confusiones lócás
de esta vida! que injusticia! ya se amanece, i mi vida me pone delante lás preguntás de
la muerte! comó me pierdó en el mechidumbre que me sigue, sentiendome
completamente solidó i abandonádó! que terrible es ser miseráble, retirárse por techos
i casuchás, comér i predigár en bordeles, i vagár cargádó con librós e ideás ridiculás
por la callé, que terrible es! más terrible es de tóda humillacion; si me visteria en el
vestidó i pantalon de seda de los servientes i pajes, para cambiár con ello mi trapos
sucios i corazon, quien me conoceria, nádie! para cambiár mi selvás i depositós con
pequenos cuartós, la lechuga de los burgéses i duenos con mi comida de burdeles
llena con sudor, es cosa imposible! genió i locura! hablár sobre estás es imposible,
unicamente a vibirlás! lós árboles crecen hasta el ciéló! los profétás del danzing halls
tienen barbás azules, i andan en motociclétás! en los danzing halls del nuevó
pensamientó humánó lavadóres de cadáveres, choffers, i aventuréros acupan el sitió
de los baylarines antiguos! yo me retiró con mis pensamientós, andó por lás callés
abandonádás, i me descansó en los bordeles i casuchás de cocineria por la orilla del
már! en estos lugáres me dán a comér tambien, i me dejan tranquilamente descansár!
me retiró por lás selvás, i dejo libre mis fierás salvájes, mis pensamientós locás que se
anden! ya se cumplirá tódó! despierten lás cocinérás, ya se há salidó el sol, ya silban
los buques i tocan la campána en lás locomotórás! en la cása de Mercédes ya hace
tiempó que el galló gritába! juntó con la oscuridád se hán desaparecidó mis bestiás,
pensamientós, dudás, i juicios, se hán retirádó, tóda mi vida esta en la lejána
oscuridád, me encuentró sóló otravéz!

73.

lás cocinérás se hán despertádó, i en la temperána manána lás campánás tocában desde léjos silenciosamente! Agrélla tambien se há levantádó, eran tódós borráchós, H. Cortéz, el dueno de la agencia funerária José C. i el bailarin B. Mc. Kennedy tambien! i cuandó se hán levantádó para salir, lás cocinerás los hán saludádó, i empezáron a contár el dinéró! desde lejos hán aparecidó los viejos peladores de pezes, comó con pásós cójos la casucha acercában, para entrár otravéz en su trabajó!

verda–

déramente, tóda la ciudád se despertába, i tódó el puertó de V. tambien! los trabajadóres de fábricás, i de talléres, parecidós a espectros en la niebla azul de la manána, se hán parádó entre los rieles por un momentó; el már se descansába i áves volában sobre el puertó hacia el triste norte!

– sin embargó tendrá que irse a un hospitál,

há dichó H. Cortéz al Agrélla,

para que allá le curen! yo tambien comprendó la inutilidád de lás cósás, sin ambargó será major si a un hospitál se vá, i nosotrós llevámos pasteles para Ustd!

– me iré al téchó donde vivó,

há dichó Agrélla

testarudamente, i secába su frente sudorosó! ya llegában hasta los grandes depozitós, entre lás lámparás apagádás! una pobre mujer parába por una esquina, se há asustádó, i se retirába agitádamente! lás tabernás entonces hán limpiádó, hembrás enormes esperában por la puerta de ellás, cansádamente i fumandó su cigarillos!

– sin embargó no lo sé a donde me voy,

há dichó Agrélla entonces,

– solamente lo sé, que tódó tiene que cumplirse! en fin, ya altamente me fastidia este puertó de V. i me expulsa algó para que me vaya, aunque no puedó parár a mis pies! me iré talvéz a mi pádre, para verlo si vive! desde allá si regresaré, talvéz me animaré a entrár a un hospitál, para que allá me curen! en esta noche tódavia dormiré en el téchó, i escribiré algó! ya Lidia

Morand tambien se há idó, de ella casi ni hé habládó, aunque ella era una mujer completamente extrána! era tan lóca, i nádie sába a donde se há idó!

los demás ya se hán desaparecidó, entonces el andába sóló, i por una esquina se parába para orinár! vinó una muchachita, se há parádó ella tambien, i le mirába desde lejos! los mucháchos de la callé gritában, i tirában su sombréros por el aire arriba! el seguia su caminó cojeandose, difamandó con palábrás detestábles a los mucháchos! despues subió por el téchó de un depozitó, allá se há descansádó entre bálás de heno, se cubrió con trapos gruesos, i se quedó durmidó!

74.

al dia siguiente lós obrérós del gran depózitó hán subidó al téchó del edifició, i le hán encontrádó! "este tontó Agrélla nunca se cambiará, quedará siempre el mismó!" lo hán dichó entre ellos, porque ya le hán conocidó, llenáron su bolsillos con héno, i le arrojáron del téchó! entonces Agrélla ya tenia otravéz barba larga i desordenáda! tenia frios i sudába! con el héno en los bolsillos i cargádó con unos librós andába por lás callés, durante tóda la noche por lás callés andába, i por la manána se há idó a un hospitál, donde le hán aceptádó! le hán colocádó en una gran sála, donde por tódás partes emfermós sentában en lás cámás, i por la noche tódós quejábanse dolorósamente!

cuandó H. Cortéz le há visitádó, ya alli há encontrádó el dueno de la agencia funerária J. Cristincovich, que llevába pasteles para el emfermó! al Agrélla muchó le gustában los pasteles, i se alegrába para ellos comó un ninó! al ládó de su cáma unos tipos rotósós parában,

    – estos son mis buenos buenos amiguos, Walton el poéta, Brumrió el pintor, Droget el musicó, i el agitátor Smirnov, tódós revolucionáriós!

dijo Agrélla, i sonriendose comia los pasteles! bajó de su almojadon tenia unos librós, i los bolsillos de su vestidó eran llenos de héno! ni una mujer estába a su ládó, Lidia Morand andába por léjos, Ana Ralston se há muertó, en Newyork, i que Luisie Broocks a donde andába, en que puertós del norte, nádie lo sabia!

– mis
buenos amiguós no me olvidan, i se acuerdan a mi si tódavia por lejos tambien me
voy, i solamente despues de largós ános me regresaré! Lidia Morand, Luisie Broocks,
Ana Ralston andan por léjos, ni se acuerdan de mi, pero no me lo importa! tengó que
irme sin embargó, para vér si vive tódavia mi pádre! con antiguós amiguós tambien
me encontraré, seguramente!

entonces tódós se hán idó, Agrélla tambien se há
levantádó, i anunciába, que el tambien vá a salir del hospitál! era muy intranquiló,
cuandó há salidó del hospitál, era ya muy tarde; hasta la noche vagába por el puertó, i
regresába para dormir al téchó otravéz!

por la noche há vistó, que los munstruós
otravéz se aparecen! se sentába entonces, i sudába terriblemente, se há levantádó i
parába por el portón del téchó, el vientó silbába i lás estrellás lucian! cuandó há vistó
por la madrugáda que los obrérós se acercan, se há bajádó del téchó, i empezába a
caminár! el sol suávemente calentába en este tarde otóno! caminába i se sudába, con
pies hinchádás i doloridás, ya en lás selvás de los montes cercánós! por adelante,
siempre por adelante! entonces empesába a corrér, pero prontó se há cansádó, su pies
ardian, i tenia hambre tambien! pero prontó de tódó se há olvidádó!

75.

en una de estás noches, independiente de los dichós sucesos, el bailarin B. Mc.
Kennedy tambien alistábase para trabajó nocturnó! se há afeitádó, su cára lavába con
jabon olorósó, i arreglába cuidadósamente su unás! el era muy pálidó i un pócó
confusó tambien! vivia en un cuartitó pequenó, lleno de retrátós i cenicérós, i botellás
vaciás de conac,

lleno de angustia, cansanció, i con un saxofon colgádó sobre su cáma!
há prendidó a un cigarilló, há puestó su sombréró, i comó andába ya por la callé, con
rumbó al danzing del Pacificó, há vistó, que tódós con que por el caminó se encuentra,
son hombres gordós, que andan con bastones gruesos en la mánó; hasta los ninos i lás
mujeres eran tambien gordás i enormemente engrandecidás, i parecian monstruós!

en
la calle de mayor movimientó estába el danzing del Pacificó, bajó un portál colorádó,

en ello con alfombrás i con palmérás, i sobre su entráda con transparentes siempre iluminádás! en la puerta un portéró negró parába, i en el danzing ya tocába la musica! B. Mc. Kennedy há quitádó su sácó, i juntó con lás mucháchás se há desvestidó i se há alistádó para el numeró; de Ali Baba i lás 40 mucháchás de la callé! i asi ya vestidó en séda, con turbante azul en su cabéza, con el saxofon en el cuello, arregládó i bien alistádó para la producion, con cigarilló en su boca se há sentádó, i quedába pensandó silenciósamente!

el tiempó ya acercábase a la média noche, cuandó la dicha producion tenia que sucedér! tóda la sála enorme del danzing estába en oscurós, solamente sobre lás mésás ardian llámás pequénás en color funebre! tóda la sála era lléna, lás mésás ocupádás, i los palcos tambien! por tódás partes caballéros vestidós en negro, i dámás lujósamente desvestidás sentában! en orquesta entonces se há aparecidó el bailarin, con cigarilló en su boca, tocandó una cancion triste i silenciósa en su saxofon!

lás extremidádes de la producion desde nuestro puntó de vista son insignificantes! a lás esquinás i callelujélás columnás signában, con lámparás oscurás encima, bajó de ellás con mucháchás tristes de la callé, que juntó con el compáz de la musica dolorósa movianse su mánós, pies i cabéza!

ahora empezába el bailarin a cantár, la orquesta le seguia dolorósamente, lós musicós se hán bajádó del podió, i con pásós silenciósós se hán mescládó entre lás mucháchás! entonces hubiera tenidó que seguir la entráda i cancion de una bailarina, que tenia el papel de la pobre muchácha de la callé, cuandó al lugár de esta la seguiente cosa extrána há pasádó!

76.

ahora una pobre mujer há aparecidó bajó lás columnás que esquinás de callé signiban, allá se há parádó trastornádamente, con cabellós desordánádós, comó un espectró febril! cargába un montón de librós viejos, i tenia su cára verdosa, i su lágrimás caianse locamente a la luz de los reflectóres! evidentemente era para vér, que ella es una lavandéra, i aunque completamente inesperádamente há pasáda su presentacion de ella, nádie se extranába en ello en los primeros momentos! se puede decir, que su presencia ni confusion há causádó entre los actóres, aunque lós ójos se hán vueltó hacia ella, i con lós demás nádie se ocupába! lás mucháchás juntábanse no más asustádamente al rededor de una enorme columna, i la musica há perdidó la linea meoldicál del saxofon, tódó el mundó há atendidó en el silenció,

entonces la lavandéra empezába a buscár insegurmanete entre lás filás del publicó! há mirádó en la cára de algunós, moviendó su cabéza de cabellos desordenádós, i se há idó para volvérse despues otravéz! ahora ya tóda orden arruinábase, pero extránamente tódós se hán quedádó en su sitió! entonces la lavandéra paráda en esta terrible i pesáda confusion, asi hablába:

– hé buscádó alguien, que no hé encontrádó entre vosotrós, hé buscádó a Agrélla! evidentemente me hé equivocádó, porque este sitió no lo es, a donde le hubiese encontrádó aunque él tambien há queridó la musica, sin embargó nunca se há presentádó en lugáres tan lujósós, porque en ellos no se há sentidó bien! en tál sitiós él náda tenia de buscár, i probáblemente vos ni le hés conocidó, aunque él aqui vivia en el puertó V. entre vosotrós! hé entrádó en muchás cásás, donde él seguramente siempre se há aparecidó, en la mayoria de estás cásás ni le hán conocidó, i si sin embargó se hán recordádó á él, lás cósás de su vida hán contádó tan distintamente! unó es seguró, que ya hace una semána que se há desaparecidó, hé estádó en los techos donde si no tenia otró sitió, siempre se alojába; en el hospitál tambien me hé idó, desde donde él emfermamente se há idó! dinéró ni tenia, i a pies no há podidó irse por léjos, era tambien muy débil! perdonéis me que hé molestádó vuestró entretenimientó, i comó hé venidó, asi tambien me voy,…

i verdadéramente se há idó, un tiempó tódavia andába por la sála, despeináda i confusa, cargáda con librós, cue hán parecidó bien lavádós i planchádós! tódós se hán quedádó en su sitió pálidamente, ella se há parádó por un momentó bajó de lás lámparás, i en lás callelujálás se há desaparecidó, desde léjos hán oidó tódavia su pásós tras de lós palcós i columnás, i silenciosamente se há desaparecidó en un rincón, comó un espectró!

77.

en esta noche todavia, el baylarin B. Mc. Kennedy llegába en el médió de un crimen trágicó i brutál, que ocupába al juzgádó durante largó tiempó! la escéna anterior, de nosotrós ya conocida, há dádó demasiáda ocasión para discusiones diferentes del parte del publicó; el director del danzante del Pacificó, para no estorbár i asustár su huespedes, há reconocidó, que el el mismó era, que interiormente arreglába personalmente tóda la escéna, en el interes de un jóven artista, llamádó Agrélla, que en la programa siguiente como la momia del Tuth En Chamen se presentará acompanadó por una musica originálmente egipcica! de repente se há presentádó una muchácha tambien, que há reconocidó, que élla era la mujer disfrasáda, i tódó há héchó en el interés del jóven artista ya arriba mencionáda, por puró recláme; váriós, verdadéramente hán reconocidó la lavandéra en ella, pero comó siempre, aqui tambien eran dudósós, peró para ellos nádie há dádó créditó!

el lugár de la siguiente producion era un portón enorme i oscuró, colocádó por el médió de la sála, con una lámpara sobre lás escarélás, i con un coró en el fondó, que una cancion funerál intonába! esto signába, que en la cása era un entierró, por lás escalérás senórónás tristes, i senorónes conmovidós se bajában, a la melodia triste i lloróna del saxofón! una pequéna campána tambien tocába, comó el cascabel de los payázós! en el fondó entonces se há prendidó una luz, i al rededór de ella un pequénó cuartitó, desde donde ya hán llevádó el muerto, el bueno pádre, alli llorába llorába una mucháchita, la pobre huerfana! la muchachita era de 16–17 ános de edád, ahora hán golpeádó por la puerta, i entrába el baylarin B. Mc. Kennedy, disfrasádó por sepulturéró! el saxofon tódavia siempre tristemente sonába, pero los violines otra melodia lleván ya a la musica, una melodia erotica, i ligéra, más conveniente para el gustó burgés!

la muchácha levantába su cabésa, i con un gestó cansádó i triste avisába al sepulturéró de su pobrésa, i soledád, mientras se há puestó a buscár dinéró en su cajon! el sepulturéró la mirába con pasion, i de su bolsillos botéllás de vinó sacába, há pedidó vásós, i tomába el vinó! la muchachita asustáda temblába, entonces el sepulturéró encerrába lás ventánás, i despues lás puertás tambien! bebia de nuevó, i por al rededor de la cába empezába a cavár un sepultró! despues de terminár son su trabajó, los colchónes, almojádás i sábanás votába al sepultró, la muchachita ya queria salvárse, pero el la agarrába, i la desvestia hasta la camisa! i asi desvestida hasta camisa, médiás i zapátós, ella se há puestó a corrér, pero se há caidó la pobre an el sepultró, i a la luz de lás lámparás despacitamente apagádás tódavia se há podidó a vér, que el sepulturéró tambien se baja tras de ella al sepultró! ya tódó era en oscurós, entonces desde el fondó de la fosa un gritó perdidó sonába, pero más extrána i trágicamente, comó era acosmtumbrádó durante demás reprezentaciones del mismó numeró!

78.

tódó el publicó aplaudába nerviósamente, la orquesta empezába a tocár un tangó para el bayle, por lás mésás i en los palcós, se hán levantádó lás dámás i caballéros, para saludár los artistás excelentes! de repente, a la luz de un reflector, há salidó del sepulcró cavádó el bailarin B. Mc. Kennedy, con locó trastornó, i se parába al ládó de la fosa! tenia su dós mánós sangrientás, i mirába tiesamente hacia el fondó del sepulcró! entonces el bailarin B. Mc. Kennedy confusamente asi hablába:

　　　　　　　　　　　　　　　　　　　　　　　　– mi nombre es B. Mc. Kennedy, soy un bailarin i lavador de cadáveres! esta mujer aqui es mi amante, una amante infiel i deshonráda, comó me duele tódó estó! mi vida era pura tonteria de payázós, llena de dolóres, sufrimientós, humullaciones, llena de necedádes, pasiones, hambres, equivocaciónes, i llena de trastornós tambien, ahora me quitó mi caréta miseráble, i unavéz en mi vida en mi verdadéra persóna me presentaré! soy B. Mc. Kennedy, bailarin, i lavador de cadáveres en la emprésa funerál del senor J. Christincovich! tras de nuestrás dudás i lócos pensamientós cláramente sentimos que dios no existe! tódós nosotrós sómos creádós a la imágen de él, con carétás miserábles, con nuestra mentriósa vida, con temor vil, con brutalidád, a la imágen de él! yo le niegó, me quitó mi caréta despreciáda, para que en náda sea yo semejante a él, i que me pueda limpiár de mis maldádes, i bestalidádes miserábles, en que con él tódós nosotrós sómos parecidós! aqui estoy en mi verdadéra limpiéza, con mi pasion salváje, con mi amor, i desnudádó hasta mi verdadéra alma, ahora me quitó mis trapos suciós, i me páró desnudádó completamente, desnudádó, comó hé nacidó, i comó me ván a enterrár! vuestró mundó es tambien muy lo de lo el, es muy mentirósó, despreciáble, i bajó, dignó a su creador! esta lleno de hipocrecia, de brutalidád, de injusticia, esta lleno de cobárdes i sinverguenzás, con idolós i tiranos, i con métodós de vivir, que ellos merecen! estámos ante del principió del fin, evidentemente,

no
continuába, i su mánó sangrientó secába en su ropa! su ojó confusamente buscába por
algó, tódós le hán mirádó con angustia i temor, i silenciósamente se retirában! él
mismó há héchó tódavia un pásó por adelante, se há tropesádó, i se há arruinádó en si!
por tódás partes guárdiás de policia estában, i encerrában tóda la sála!

79.

un viejó granéró abondonádó era el lugár, donde los amigós de Agrélla, despues del
desaparecér extranó i evidente muerte de aquél jóven de genió confusó, en lás hórás
de noche muchásvéces se reuniéron! este granéró se yacia en el puertó, entre
depositós i sálás inmensás de mercádó, que eran actuálmente en la propiedád de una
gran cása comerciál inglésa, puesta momentáneamente fuera del usár! el guardia,
elempleádó de la cása H. Grace. and Co. siendó tambien antiguó amigó de Agrélla, há
permitidó estás reuniónes, el mismó tambien tomandó parte en ellás, tomandó sientó
con su lámpara sobre un cajon, escuchandó lós discursós silenciósamentealgunavéz
hasta la madrugáda!

en esta nocha tambien, cuandó ya tódós se reuniéron, llegába el
carnicéró H. Cortéz tambien, i sentábase sobre una escaléra bien usáda, fumandó su
cigarilló! allá estában tódavia el poéta Walton, el pntor Brumárió, Drogét el musicó i
el agitátor Smirnov, tódós revolucionáriós! mujéres tambien encontrábanse entre
ellos, mujeres i pobres mucháchás, olvidandose de tódás humillaciones i misériás de
su vida! aqui estába Graciéla tambien, juntó con su gran perró emfermó, cansádó, i en
el ultimó estádó de su emfermedád! un monó tambien estába aqui, encadenádó al ládó
de un viejecitó, que mugiase, i retirandose al rincón, se quedába durmidó sobre la
pája, tranquilamente comó un ninó!

tódós eran vestidós demasiádó miseráblemente,
tódós temblában comó a travéz del inmensó granéró silbába el vientó; se hán cubiertó
con trapos, i ordináriamente hablában de Agrélla, de lás ideás, vida i desaparecér
extránó de él, hablában de la revolucion, i de tódás lás preguntás, que estában cerca a
la vida miseráble de ellos! al fin, tódavia hablában de tódó, del aparecér de la
lavandéra, del asesinátó del bailarin B. Mc. Kennedy, i de la muerte evidente de
Agrélla entre circunstanciás entre ellos desconocidás!

80.

lós amigós de Agrélla tambien eran hombres completamente extranós! el poéta Walton llevába un pequénó bigóte negró, el há descendidó de una familia mejor, pero se há conocidó con una modista, se hán queridó fatálmente, la muchácha se embarrazába, i asi Walton se há casádo con ella! entre circunstanciás demasiádamente pobres vivian, i de su antiguós conocidós nádie le saludába, cuandó pasába envueltó en su capa ancha juntó con su hijitó por lás callés! el agitátor Smirnov era un emigrante rusó, que vivia juntó con su mádre, en la habitacion de ellos se reuniéron los demás emigrantes, i si no tenian donde que alojár, tambien comian i dormian alli! J. C. Tóró era un mejicánó, pintor i dibujante, que su pádres nunca há conocidó; él era un biscó, se alojába ordináriamente en la cása de l s Smirnov, a comér se há idó al puertó, donde lavába plátós i limpiába pézes en lás cocineriás por almuerzós i comidás! él era, que há héchó los dibujós de La Gran Ciudád Dinamica, El Teátró, El Carrusel, etc, e illustrába la epopéya La Tentacion de los Asesinós, de Zs. Remenyik! Droget era el director i duenó soció de un gan almacén de musica, siempre llevába corbáta negra mál amarráda, él era un vegetariánó, i siempre cocinába él mismó! en su juventud vivia entre circunstanciás demasiádamente miserábles, si no tenia algó para comér, ni se levantába de la cáma, i podia dormir durante dos, tres diás! hasta lás tardes hórás de la noche tocába el violin, i tenia un aspectó directamente de alcoholista, aunque nunca tomába! el pintor Brumárió vivia en un cerró, en el barrió de lós ladrónes, tenia una casucha de látás en el fondó de un pátió entre árboles olorósós, i pintába cuadrós lócamente extranós! él era sordó, i parecia a Beethoven! viva de pán i de téé, ráravéz comprába un pedazitó de carne, que él mismó há preparádó! lós demás, mayormente tabajadóres de imprenta, navegantes, bolichérós i propietárós de salchicheriás, tambien eran enfrontádós con los aceptadóres de lás necedádes humánás, ya por lo ménos desde la amistád tambien, que ellos hacia la personalidád sincéra de Agrélla tenian!

81.

el gránó, que Agrélla con su vida, i con su ideás ya sembrába en este puertó, ahora se aclarába, se crecia, i se aumentába, comó un árbol inmensó! su ideás, juiciós, i dudás de él se hán levantádó por una cierta altura, i su antiguós amigós i conocidós de él parecian por aprendices, mesclandosé a la compania de lós navegantes i cargadóres borráchós, por tódás partes propagandó su pensamientós i ensenanzás! ciertós librós, i escriturás, que antiguamente eran en la propriedád de Agrélla, ahora, despues de su extránó desaparacér, hán sidó cuidadósamente guardádás, cási comó reliquiás de altó valor! los sitiós, por donde en su situacion miseráble se retirába, tambien hán sidó guardádós, por unós fanáticós de su ideás ya anteriormente mencionádás!

en estás reuniónes tambien hablában siempre de él, siguientemente:

– tódós nosotros bien conocemos lás ideás, pensamientós, i juiciós de Agrélla, que el há sembrádó entre nosotrós, i por tódás partes donde andába, i que se hán crecidó, i aumentádó, comó un árbol inmensó; se encuentran navegantes entre nosotrós, que viajan por tódás partes, se encuentran con una multitud de tipós variós, i que hacen a conocér estás agrélládás con ellós! ellos les hablan de tódós lós amigós de él, de Apollinaire, de Trockiy, i de Marinetti, naturálmente de la lacandéra tambien, que ultimamente se há aparecidó en nuestra ciudád, en el danzante del Pacificó, entre tál extránás circunstanciás! Agrélla se há desaparacidó, há salidó del hospitál, há dichó que se irá a visitár su pádre, i le ayudará en su trabajó pesádó! plata no tenia, con que hubiera podidó a salir, i que se váya a pies, para ello era muy débil e impotente! Agrélla há queridó muchó lás selvás, i montánás, aqui en la cercania existen selvás inmensás, talvéz há llegadó hasta ellás, donde pócó a pócó se há muertó de hambre! él era débil, i no há podidó a vagár más!

un otró, el musicó M. Drogét, asi hablába:

– Agrélla tenia la cualidád, que há podidó bien caracterizár lás cósás! el há dichó sobre la revolucion: "ya esto es tambien algó, que los que trabajan, tienen para comér!" que cláramente há vistó lás cósás, i há conocidó la verdadéra valor de ellás, i comó há despreciádó lás mentirás i la hipocrecia! tanpocó era feliz, i andába siempre pensandó! hasta su amores eran tan trágicós, llenos con humillaciones, ironiás, i sobre tódó con amarga verguenza! tódós nosotrós tenémos el debér, de cuidár su recuerdó, i lós juiciós de él!

82.

ahora entrába al depositó abondonádó la pobre muchácha Graciéla, en la compania del perró emfermó! el perró se descansába, la muchácha se sentába sobre un baul, silenciósamente! entonces Walton hablába, asi:

— no tenémos que olvidár, que Agrélla siempre luchába contra los idolós i dióses falsós! muy cláramente há vistó el desarrolló de la fé i de los mithos, i por lo consiguiente no há tenidó fé en ellos! há tenidó su juició sobre la morál de nuestra sociedád, iguálmente, comó lo sobre lás injusticiás e hipocrecia de ella! de cuantás dudás i pensamientós dolorósós era un testigó este abandonádó depositó de alforjas, donde tantás véces él se descansába, i que por lo consiguiente cuidámos! él preferia los bordeles i los puertós ante los palációs, i su génió de él que independiente era del influyo i de los juiciós de los demás! cósás extránás hán pasádó en el puertó, desde que el se há desaparecidó, i se há muertó evidentemente! el cadáver de un vuejecitó há votádó por la orilla el már, se há aparecidó la lavandéra, i el baylarin se há metidó en un asesinátó! el mismó baylarin, que estába en los serviciós del funerál J. Cristincivich, comó lavador de cadáveres! evidentemente estámos ante de lás elecciónes de un nuevó diós, i Agrélla de tódós módós sabia de ello! el se há desaparecidó! seguramente una enormidád de candidátós ván a presentárse en estás elecciónes del diós nuevó, vendrán i saldrán desde el fondó de la tierra tambien, vendrán armádós con nuévos juiciós contemporáneós, peró Agrélla se rie maliciósamente, e ironicamente no más, él sába porqué! el ni há esperádó estás eleciónes, se há idó por lejos!

83.

quedában silenciósós durante largó tiempó, el mónó tambien se despertába, i se pusó a rascár! el guardia de noche há encendidó su pipa, el inmensó depósitó se llenába de bestiás monstruósás, entonces asi hablába el sordó Brumárió, que en cára era muy parecidó a Beethoven, i hasta ahora silenciósamente sentába sobre un cajón:

— tódós estós son mentirás, i equivocaciones,

há dichó él,

– nosotrós bien hémos conocidó a
Agrélla, por consiguiente tenémos que cuidárnos de ello, para que no presentámos su
vida i personalidád de él otro módó, que era verdadéramente, ante tódós, que la
quieren conocér! evidentemente Agrélla há sufridó muchó, hasta que se limpába de
lás dudás i de lás confusiónes! Agrélla era un anarquista, no solamente en su pensár i
juiciós, sinó en su vida tambien! no lo olvidémos, él siempre ataquába a los mithos, i
tan amablemente hablába de lás enfermedádes ascósás de Marx! evidentemente
Kropotkin tambien há sufridó, lós próceres de la revolucion francésatambien, i tódós
ellos eran hombres trágicós e infelices a pesár de su génió! Agrélla ni há creidó en los
hombres perfectós, iguálmente comó no há creidó en lás ideás perfectás! no há creidó
en l s santos, ni en los martires! no há creidó en los dióses, por lo ménos en dioses
perfectós no há creidó! Agrélla ahora aqui esta entre nosotros, i en esté cásó nosotrós
juzgámos sobre él! Agrélla era infeliz, i emfermó, há comidó pocó, i andába rotósó
siempre! en su juventud ni leer sabia, entonces no há podidó ensenár a sabiduriás a los
clérigós! él há durmidó en los salones de lás cásás de tolerancia, há recojidó váriás
emfermedádes de sexó, i váriás véces há vividó de lás pobres ninás de la callé, que
para él ganában! con pócás palábrás, era tambien un alcaguéte! há robádó i há
abondonádó la que le há queridó lo más, a la lavandéra en Newyork! evidentemente
era voluptuósó tambien, porque há seguidó la móza del restorant, que despúes le há
humilládó i ensuciádó! ni le gustába a trabajár tampócó! entonces Agrélla era un
hombre de carne i huesó, con una palábra: era un hombre, tan fácilmente
comprendible por tódós! váriás véces se quejába, que es piojentó! tenémos que
cuidárnós, para que no falsificámos el caracter de Agrélla, que era llenno con
trastornós, i dudás, con pensamientós i juiciós fértiles!

– Agrélla verdadéramente há vistó
lás cósás cláramente,

há seguidó el sordó Brumárió,

– i en su cinismó i negár, muchás
véces há llegádó cerca a lás verdádes! lós sucésós, pensamientós, ideás i juiciós de
hoy son ó despreciábles, ó ridiculós, há dichó siempre! en estó há tenidó razon,
perfectamente! cláramente há vistó la utilidád, iguálmente comó la inutilidád de lás
artes tambien! él era un poéta tambien, pero no lo que se retira en torres exclusivás i
silenciósás, él siempre há vividó su vida propia, muchásvéces miseráble i detestáble

aun! infinitamente há despreciádó la mentira, esta piedra fundamentál de la actuál sociedád! sin embargó há mentidó él tambien, comó tódós los que él despreciába! talvéz há sufridó tambien por lás humillaciónes, que há sentidó del parte de los orgullósós! era hambrientó tambien, hambrientó i rotósó! tantás cósás tenémos que aclarár, para que podémos comprendér su vida! i al fin, que há pasádó con él? se há desaparecidó? evidentemente, se há desaparecidó, porque era emfermó tambien, i al hospitál no há podidó aguantár; tódavia despues de salir del hospitál, se há retirádó por ultimavéz al depositó abondonádó de alforjas! hay testigós, que le hán vistó, i que se hán reidó entonces sobre él! lós mucháchós de la callé muchás véces le hán tirádó piedrás! tódó estó no le importába! era payázó tambien, lo sabémos tódós! después de salir del depositó ya tantás vézes mencionádó, se pusó a vagár, porqué de lás cósás ·i vida del puertó tenia ascó infinitó, si há idó a los montes, allá se há extraviádó porque tenia tambien fiebre, se há caidó, i se há muertó de hambre! esta es la explicacion más verosimil! él yace bajó de un árbol, comó el estudiante de Maserel! entonces Agrélla era emfermó, piojentó i hambrientó, asi tenémos que hablár seipmre de él, porque la juventud futura no vá podér a creér en en santos i hombres perfectós, pero en demónicós piojentós vá podér a creér ciégamente, en hombres, que hán sufridó, i que eran humilládós, imperfectós i pecadóres! que eran sencillós e ingenuós, emfermós i confusós, con una palábra que era hombres, de dudás, i de sufrimientós; que después de sufrir i dudár se hán perecidó, dejandó tras de si juiciós e ideás fertiles para los demás demonicós trastornádós de la humanidád!

84.

todavia hablában otros tambien, en el mismó módó recordandose de Agrélla; era tarde en la noche ya, cuandó tódós hán salidó, dejandó vació el gran depositó, el guardia de noche tambien se há acostádó, i há apagádó la luz! por lás callés casi nádie andába, el vientó silbába no más, i lás paredes desnudás temblábanse bajó de lás estrellás! desde el már silbába el vientó, el mónó se quedába durmidó, el gran perró se tosia roncamente, lós demás atravezáron lás callés anchás, i subiendó por los cerrós, llegában hasta la estacion de ferrocarril, donde tódó yacia en silenció! el puertó estába en oscurós; entonces allá, donde callés se cruzában, entre pequénás casitás durmidás, hán llegádó ellós hasta el cementérió! tras de ello en la profundidád tódavia otro barrió tambien estába, con cásás recien levantádás, i con fincás abandonádás; este era un pobre cementérió, con tumbás bajás i humedás, i con cruces enmohecidás! el caminó estába situádó pocó már por a bajó, entre zarzáles is árboles desordenádós, entre pózós de barrió!

aqui tódós se hán quedádó parádós, porque desde el fondó del cementérió alguna musica salváje sonába, con violines i trompétás, i sobre tódó con un triste saxofon, que llevába la melodia! se parában, i escuchában tódós ellos!

– talvéz el dios se entretiene!

há dichó alguien entre ellos,

– el dios, que el mismó tambien ya está muertó, en la ultima isla de su reinó ataquádó, en el cementérió, entre los muertós! que locura es!

el perró mugia locamente, tódós ellos parában i escuchában! i la lóca musica sonába desde el cementérió hasta la madrugáda!

85.

verdadéramente, lás ideás i juiciós del vagabundó filosofó Agrélla se hán engrandecidó, i amontonádó, comó los montes i selvás enormes! los navegantes, despues su desaparecér extráñó i misteriósó de él, en lás bodégás i puertós lejánós hablában muchó sobre Agrélla, i entre l s que les escuchában, siempre se encontrába alguien, que le há conocidó ya desde tiempó, i que durante su vagár ya se encontrába con él! lás casuchás de cocineriás se hán llenádó, i entre los duenos de estás cocineriás se encontrában algunós, que con pintóres hán dejádó a pintár váriós cuadrós con escénás de la vida del pobre filosofó, i lós cuadrós hán colgádó en lás cocineriás sobre la pared! su juiciós e ideás de él hán sidó acceptádós por los pobretes i jóvenes de los puertós i habian unós que celosamente guardában su correspondenciás encontrádás de él, que llevába con Gu. Apollinaire i Torckiy, iguálmente comó los apuntes i manuscritós unavéz ya perdidós, pero despues felizmente encontrádós, de que partes i trozós aqui publicaré! un retrátó tambien quedába de él, que en un tiempó el sordó Brumárió pintába! / esté retrátó es de aquél tiempó, cuandó Agrélla antes de irse a

Newyork, en la ciudád de S. trabajába en un restaurant, comó serviente i limpiador de cocina! Brumário tambien vivia en este tiempó en la ciudád de S. vivia i sufria; en lás reuniónes ya unavéz mencionádás se encontrában i se amistában, Agrélla siempre por muchó estimába el arte del Brumárió! / su vida, llena de misériás, luchás i sufrimientós, há dejádó impresiónes trágicás en ciertós individuós! al sucesó trágicó i criminál del bailarin tódós nosotrós bien recordámos! al mismo módó ante tódós nosotrós conoció es el extránó desaperecér del bibliotecárió parisinó L. Roguier, que se metia a los canáles, i de que tantó hán escritó los periódicós! este bobláchó, que en los priméros tiempós há llegádó a conocér lás ideás i juiciós de él, navegantes, cocinérós, mujeres de la callé, há educádó su hijós en el génió trastornádó i revolucionárió de él, que era tan cerca a lás ideás clárás i razonábles de Marx, de Lenin, del demónicó Trockiy, de Swift, i de Voltaire! habian otrós, que de él hán nombrádó su polládás, de esté módó hán sidó sembrádós no unicamente su ideás i juiciós, sinó su figura, su nombre, i al fin el gránó del mithos de su vida tambien!

86.

estos apuntes, nótás i trózós serán publicádós por priméra véz con el motivó, que despues de la vida i juiciós de Agrélla el lector pueda conocér lás equivocaciónes, i lós deseós secrétós i evodentes de él tambien! comó será vistó, Agrélla absolutamente no era el hombre, que se acostrumbran llamár "inteligente i estudiádó" por la suerte de él en su juventud ni escribir ó leér sabia, i de esté módó se salvába del conocimientó de tantás cósás inutiles! ni a escuélás andába, en aquellos tiempós perros alimentába él, cuantó la cabéza de los mucháchós unós maestrós infelizes quieren deformár! se ocupába con filosofiás tambien, pero prontó há vistó la inutilidád, i vanidád de tódás lás filozofiás, sin embargó dejába unós apuntes filosoficós muy notábles entre su manuscritós halládós! la publicacion de estos trózós i nótás unicamente por informativós quieren servir, i por lo más ensenarán lás dimensiónes, entre cuáles Agrélla a pesár de su ignorancia tambien se há movídó! la infinidád! óh grandes hombres, óh grandes hombres piojentós! Agrélla era demasiádamente sució, tenia dientes pequénós, se afeitába muy ráravéz, llevába cuellós rotós i suciós, estós no tenémos que olvidár! si algunavéz há ganádó o há conseguidó de cualquier parte dinéró, simpre comprába librós, / siempre librós usádós i de antiguárió, / ó se há idó a comér! hablandó de estás cósás i asi de él, nádie nos puede acusár con parcialidád, porqué al ládó de su génió eruptivó, i vida eleváda, presentámos su ignorancia, equivocaciónes, i suciedád tambien, en la esperansa, que tódós estós su dimensiónes no angostarán, sinó levantarán tódavia! un hombre, que pára por tierra, piensa, i come! tiene vestidó rotósó, i se aloja, por depósitós abandonádós! lleva correspondenciás con Gu. Apollinaire, i con Trockiy, en Newyork Marinetti le ayuda con dinéró, i tras de él páran navegantes, lavandérás, servientes, i perrós, perrós i navegantes desconocidós i sin nombre, con cuáles entre su vagár se encontrába, i qué tódós a él se acuerdan! tras de él pára tódó Newyork, i los enormes montánás de los Andes, piedrás, cicineriás, náves i depósitós, donde él sufria i pensába, selvás i bordeles, donde vagába i se sentába por la cocina, esperandó que reciba algó para comér! él sonrie, pero pero no con una sonrisa idióta, sino alegremente, comó se acostumbran a sonreir ante los fotografistás expresós de lás feriás! pára por la tierra, piensa i come, esta cerca a tódós nosotrós, i esta cerca al dios tambien, porque muchó está en él la faccion divina! pára por la tierra, piensa i come! piensa i come!

87.

aqui solamente trózós arrancádos darémos de lás escriturás, manuscritós i apuntes de Agrélla al publicó; evidentemente, estós juiciós escritós representan algó de en la história e ideás de la época, i estós apuntes i trósós publicádós documentan si más no, por lo ménos lós horizontes, entre que él vivia! por consiguiente aqui siguen lós apuntes, i trózós, arrancádós de lós manuscritós de Agrélla:

                              "me atormenta la desconfiansa de lás gentes! no quieró luchár al módó de don Quijóte con lós molinós de vientó, porqué conocidó es, que el molinó es grande i fuerte, i el hombre es débil i pequénó, i en el hombre lo más grande es la necedád, que no sirve de arma para luchár!" aqui sigue un apunte de los manuscritós de Agrélla, sobre el amor, sexó, i emfermedádes: "estos textós, asi comó estan en mi apuntes, se encuentran en mi novéla perdida, / tituláda LOS CIÉGOS! / en la forma de discusiónes!" despúes: "el mismó Socrates era el priméró, que se ocupába con la idea del superhombre, en el diálogó tituládó Georgia, escritó por Platon! por consiguiente se vé, que esta idea es ya tan antigua, que há vividó en el genió de lós diás clásicós tambien, i hubiera sidó mejor, se se desaparese juntó con ellos!" "tenémos que vivir, tenémos que aprovechár nuestra vida, i cumplir tódós nuestrós deséós, aunque sean ellos tódavia tan despreciádós i miserábles tambien! yo anunció el nihilismó morál! nádia sábe que es la verdád! lás piedrás i lós muertós son lós más felices!" "lás sistémás i ordenes del estádó son cósás de unós politicós idiótás, i los librós de lás leyes son necedádes de literátós dilettantes no más! asi tenémos que tódó comprendér!" estos trósós i apuntes son asi demasiádamente incomprendibles, i por el mál escribir dificilmente leibles tambien!

88.

lós trózós de Agrélla sobre la história i doctrinás fundamentáles de la filosofia son lós siguientes!:

"la cuestion es, que es la materia originál! en esté puntó se chocan tódás lás escuélás filosóficás! el priméró que se ocupába con estás preguntás, era el filósofó griégó Thales, que há vividó en lós tiempós heroicós de Croisos i de Solon! Th. no era un pensador especulativó, ni há puntádó su pensamientós! el era unó de lós "siete sábiós"! más bien era él un filosofó prácticó! la distancia enorme, i los conocimientós primitivós de su época explican su equivocaciones!" "absolutamente no es una cósa sorprendiente, que entre lós antiguós tambien se encontrában unós individuós, que pensában normálmente, i que por consiguiente hán sidó acusádós del parte de su contemporáneós en el nombre de la sociedád! iguálmente comó ante nosotrós ridiculó es el phanteismó, ó sofismó de lós antiguós, tan ridiculó será delante otrás épocás aquel cinismó tambien, que en el interes de ciertás clases sociáles tódó el universó pone bajó el dominió omnipotente de un individuó /dios / invisible, i sin conciencia!" "lós sofistás son parecidós a lós comediantes vagabundós, en nuestra época tódavia tambien existentes, que se ván de una áldea por la otra, i por poco dinéró entretienen con su necedádes lós áldeánós, aduanérós, i lós infelices maestrós de escuéla! se anuncian comó pensadóres de ofició, fundan escuélás comó payázós, equilibristás, i ratonérós, verdadérós payázós son ellos, que con saltós quieren salvár esté mundó arruinádó! en nuestrós diás verdadéramente a lós notáriós aldeánós, i aduanérós idiótás interesan lás cósás neciás de ellos, lós demás se rien sobre ellos no más, i conociendó su insignificancia, seriamente ni se ocupan con ellos!" "otros filosofós por la causa oroginál el fuégó hán tomádó, despues el aire, la luz, i el calor, lo que más ó ménos tanto significa, como si por la causa originál tomaria un tiburon, o un cocodrillo! la história de lás filosofiás, de tódó estó se vén, no es más, que la história de la necedád humána, que más bien nos molesta e indigna, que nos tranquiliza con tal equivocaciónes i tonteriás!"

89.

su pensamientós i juiciós universáles de él, compuestós i arregládós, aqui siguen! aunque Agrélla no era un revolucionárió prácticó, há vistó muy bien lás posibilidádes i el caminó, en qué la revolucion tiene que adelantárse! en relacion de esto há escritó lo siguiente:

"yo anunció la anarquia, la brutalidád de lás leyes, i la necedád de lás teoriás, porqué una teoria, que sea la más condescentiente aun, es una barrera innaturál! no tenga nádie miedó por el hombre, ya sabrá él acomodárse en su nuevás situaciónes! lás leyes origináles, que hán sidó declarádós por naturáles i eternás, absolutamente no son ni origináles, ni naturáles, i eternás tampócó son, i siempre dependen de la situacon casuál! evidentemente, nos acerca el tiempó de una organizacion sociál nueva, su heraldos ya aqui están, ya están para llegár, comó de costumbre, en la ultima hóra! ocupémonos con cósás humánás, i no nos ocupémos con preguntás moráles, con religiónes, con filosofiás, con artes i con otrás necedádes! nosotrós, que sómos elegidós para la organizacion de lás revoluciónes, muy bien sabémos, que tiene que pasár durante la revolucion sociál! enormidádes, brutalidád, injusticiás, etc. evidentemente! por esto no nos duele la cabéza, ni nuestra consciencia nos molesta! existen unos tontós, que anuncian i decláran el cambió de la naturaléza humána! tal operaciónes no se necesitan, i con tál tonteriás i necedádes es inutil a asustár a lós pobres! lós debiles se pierden, naturálmente! en la sociedád futura valdrá la teoria thaygetina, esta sociedád no necesitará especulativós i pensadóres, comó yo mismó tambien soy, sincéramente no nós dejarán a entrár en una comunidád sociál, a donde no tenémos que buscár náda!"

90.

despues, los apuntes sobre su própio trastornó, asi siguen:

"con el signó de los castrádós sobre mi frente vágó, i habló necedádes en el nobre de la vida eleváda i en lo del arte! lós pastelérós de lás religiónes con altó silbár i gritós andan por tódás partes de la ciudád, pero yo les evitó, i me retiró por lós techós abandonádós, i selvás virgenes! soy un rivál del dios!"

"la perdicion de la humanidád! en lás noches léo la história accreditáda de la firma Adán & Hijos, escrita por lós doctóres i gran profesóres Mathiás, Marcó, Lucas i Juan, que tódós eran escritóres buenos i poétás honrádós, escribiendó en el Genesis una gran novéla de exitó mundiál, creandó por protagonistás Moses i Jesus; no creo en lo sobrenaturál, solamente nosotrós sómos bajónaturáles!"

"la mujer! el matrimónió! la familia! cása de orátes! tóda la história humána es tan corta, neciamente tan corta, i clára, que en ninguna de su partes tiene secrétós! en el futuró me suicidaré; entonces llegará el fin del mundó! sin embargó, tengó que confesár, que estás lineás revueltás un hombre muy silenciósó i triste há escritó!"

91.

estos apuntes i trózós de Agrélla asi terminan:

"verdadéramente no se sábe, que el hombre con la palábra pronunciáda será más ricó, o pierde algó de su riquézás! yo de mi parte despreció lós hombres de lás palábrás piadósás, iguálmente despreció los hombres sincéramente buenos, porqué no véó cláramente que cubren con sus carértás angelicás!"

"reflectóres inmensós están en mi servició, con que puedó iluminár lás profundidádes, sin embargó mi mente queda en oscuridád mortál! mi suerte es, que mi locura no es completamente vulgár! ya llegába el tiempó, para qué cambiémos lós chalécos de fantasia de lás religiónes, los de la morál, artes, etc.! en tódó el universó la matéria está ante de un nuevo renacimientó, i ante una nueva muerte! de la cása de pension de los cinco continentes los inquilinos están para salir, ya vienen lós indiós de la Tierra del Fuégó, lós aztécos, los araucános, los senegáles, despues vienen lós amarillos i lós negritós; i vienen los demás tambien! en lás elecciónes del di nuevó los candidátós son:

un alcalde rusó judió, /de 44 anós/ un cocinéró de Sanfranciscó, /39 ános tiene/ i yo, /que tengó 27 ános/ viva!"

con esto terminó con la publicacion de la sucesion de Agrélla! comó lo repitó, estos juiciós i pensamientós hán sidó extendidós, en los primérós tiempós solamente entre lás gentes del puertó de V, despues por ellos que ya los hán conocidó, por tódó el continente! que confusiones, dudás i trastornós, en vida i en juiciós, perdidós i desperdiciádós en selvás, en puertós i bajó de la montána enorme i virgen de los Andes! evidentemente Agrélla se há equivocádó tambien, pero su equivocaciones eran lás de un vagabundó, llenás con sufrimientós infinitós! que hombres enormes, enormes, magnificós, i piojentós! un alcalde rusó judió, un cocinéró de Sanfranciscó, i Agrélla, comó candidátós para lás elecciónes de un nuevó dios! necedádes, tonteriás! lós navegantes se ván por léjos, los duenos de lás cocineriás engrandecen su casuchás miserábles, i lós techós se llenan con hombres cansádós i silenciósós por lás noches! náves lejánás silban por lós máres, i tigres mugen por lás selvás, temerósamente! i tódó se pierde en la profunda noche!

92.

más o ménos un áno i médió despues de estos sucesós trágicamente extrános, / la desaparicion de Lidia S. Mornad, el crimen del bailarin B. Mc. Kennedy, etc/ de la misteriosa perdida del poéta i filosofó vagabundó Agrélla un áno i médió después, cuandó su figura i mithos ya se há enormemente engrandecidó, el gran periódicó Times de Nuevayork en articulós continuádós publicába lás aventurás de su filmexpedicion entre lás salvájes del Sur! unó de estós articulós há sidó publicádó por tóda la prensa mundiál, por lós periódicós iguálmente comó por lás revistás, juntó con fotografiás origináles! el tituló del articuló era:

"UN HOMBRE QUE HÁ SIDÓ DIÓS!"

i el siguiente textó há contenidó:

"Punta Arénás. R. de Ch. S. A. – Telegrafos del Estádó.

– lós hijós de la Tierra del Fuégó son, énos peligrósós que lás gentes mediamente civilizádás, entre cuáles vivimos, i a cuáles tódós nosotrós pertenecémos! la llegáda de nuestra expedicion por estos territóriós salvájes desnudós i cubiertós con pieles hán mirádó desde lós bosques, con curiosidád infantil! la psihologia de estás gentes hémos conocidó bien! asi comó con hémos adelantádó en la direccion de lós riós, el caminó há sidó de pásó por pásó siempre peor! nuestrás mulás se hán caidó del hambre, o de emfermedádes! cuandó el numeró de nuestrás bestiás de carga há caidó a dos o tres, tuvimos que buscár la ayuda de los indiós, i parárnos por una áldea india!

la áldea constába de cuévás, i de unás casuchás levantádás de piedra, i cubiertás con rámos! lós salvájes se hán retirádó ante nosotrós, i se hán ocultádó tras de una casucha separáda, entre árboles i zarzáles enormes! entonces la puerta de la casucha se há abiertó, i en ello un hombrecitó bajó, rotósó i con barbás se presentába delante nosotrós, que tenia piel completamente distinto que ellos, su ojos brillában, i tenia dientes sorprendentemente blancos! en tódó era completamente distintó que el tipó conocidó de los indiós del Sud o lós del Norte! tenia una gorra compuesta de hojás sécás i morénás, lós salvájes hán cubiertó su ojos, i mugian comó los perrós! el hombrecitó entonces nos mirába con tristéza i con despreció, i se retirába despacitamente por la casucha! lós salvájes entonces hán nos acercádó, i con signós hás dádó por nuestro conocimientó, que de sus territórios tenémos que salir, ante que la noche llegára!

subiendó por lós árboles acompanában a nosotrós, hasta que llegába la noche i se levantába la luna! lós fierás tambien hán salidó de los bosques, i mugian temerósamente! lós salvájes de pócó a pócó quedában atrás, solamente sus ojos brillában desde la oscuridád! nádie ya nos acompanába, solamente la soledád angustiósa! asi hémos estádó entre lás selvás inexplotádás en la puerta de la muerte, cuandó nos hémos llegádó hasta la colónia de unós indiós ya ante nosotrós antiguamente conocidós, que nos hán dichó lo siguiente:

– donde ahora habéis estádó, era la tribu más peligrósa, que existe por estás tierrás! el bajitó, con gorra de hojás morénás es el diós, que ellos por idoló adoran, i que indudáblemente tiene un podér sobrenaturál! este diós era indudáblemente, que vos há salvádó de la perdicion segura! tóda la tribu góza su bendición, por esto es tan fuerte i poderósa, i recibe proteccion contra lás extremidádes naturáles! dentró en lás selvás virgenes existen váriás tribus, que luchan entre si, para que le roben, i puedan adorárle! por consiguiente siempre esta cuidádó i vigiládó por su subditós, que le adoran, i le ofrecen i presentan victimás, igualmente comó nosotrós la ofrecémos para la lluvia que es el diós más poderósó entre tódós dióses!"

verdadéramente, en una de lás fotografiás era para vér un hombrecitó bajó, con barba desordenáda, al rededor con salvájes mugientós, paráda en la puerta de una cabána! en la cocineriás, en el puertó, en los téchós i sótanos muchós hán conocidó en el a Agrélla, vestidó en trapos rotósós! hán conocidó su ojos sativós, en la profundidád de lás selvás virgenes! lós techós, cabánás, i zitós abandonádos se hán llenádó, los navegantes i duenos de cocineriás ha ....dó con lás gentes muchásvéces se recordában de él, i de su ideás! sin embargó, que fatalidád, i que cumplimientó! que fatalidád, tan irónica i brutál, i con cuanta consequencia, que él hasta en su divinidád tambien conservába su voz ronca, su pequéna cabána, i cabellos desordenádós; indudáblemente conservába su emfermedádes ascósás, su piójos, i trastornós tambien! su piojós, su trastornós, i misériás, de que tódavia su divinidád tampócó era capáz a salvárle!

1929. szept. 2. Dormánd